ハーディ智砂子

古き佳きエジンバラから
新しい日本が見える

講談社＋α新書

まえがき――遥か遠い街に住むから見える真実

「なぜファンドマネージャーが、その拠点としてエジンバラを選んだのか」――そう、ときどき聞かれる。「ファンドマネージャーとして働くなら、世界金融の中心地『シティ』のあるロンドンのほうが適しているのではないか」と。

実は私は、英国にファンドマネージャーとして来たのではない。ロンドンの小さな輸入商社で三年間ほど働いたのち、スコットランド人でエジンバラ在住の人物と結婚し、この地に住むことになったのだ。

私はその翌年から、「見習い証券アナリスト（investment analyst）」という肩書をもらって、スコットランドの中堅生命保険会社「スコティッシュ・プロヴィデント（Scottish Provident）」の投資部門で働き始めた。なぜこの仕事に就こうと思ったのか。将来はファンドマネージャーとしてバリバリ働いてみたいと思っていたのかというと、まったくそんなことはなかった。というより、ファンドマネージャーという仕事があることさえ、当時の私は知らなかった。

ロンドンで会社勤めをしていたのは一九八七年の秋から一九九〇年の秋まで。つまり、日本でバブル経済が最高潮を迎え、そしてあえなく崩壊した、ちょうどその時期に当たる。ロンドンのシティでは非常に多くの日本の金融機関が支店を構え、わんさと駐在員を送り込んでいた。当時は小さな証券会社や地方銀行でさえ、ロンドンに駐在員事務所などを置いていた。

そうして日経平均株価が暴落し、一年が経った一九九一年一月、エジンバラに移った私は就職活動を始めることになった。まるで当てなどない。どんな仕事があるかさえ分からない。そこで、当時ロンドンで証券会社に勤めていた大学の先輩にアドバイスを求めた。大学の先輩といっても学生時代から知り合いだったわけではなく、ロンドンの勤め先を通じて知り合った人物だ。その先輩が電話口で話してくれた内容は、当時の私には意外なものだった。

もちろん私もエジンバラがスコットランドの首都であることは知っていたが、感覚的には地方都市としか思っていなかった。ところが先輩の話では、エジンバラはヨーロッパの金融センターの一つであり、多くの老舗金融機関の発祥の地でもあるという。そうしたところに履歴書を送ってみたら関心を持ってくれるのでは、とアドバイスを受けた。

私は金融機関を中心に一〇社ほど、履歴書を添えた手紙を送った。すると、ほとんどの会社が丁寧な返事をくれたのには驚いた。しかも、そのうち三つの金融関係の会社から面接をしたいとの連絡を受けた。最終的にはスコティッシュ・プロヴィデントに入社したのだが、面接を受けた三社すべてからオファーをいただいた。

日経平均がその前年の大発会で暴落したとはいえ、まさか日本がその後二〇年以上も低迷するとは、当時、誰も予想しなかったのだろう。そんなことも有利に働いたと思う。こうして私はエジンバラの投資業界で働くことになった。

同時に私は、エジンバラで家庭を築いた。女の子と男の子一人ずつにも恵まれた。夫と私は結婚当初とても貧しく、一九九〇年秋、エジンバラの公営のアパートで慎ましい生活をスタートさせた。

一九九三年に娘を産んですぐに勤め先をリストラされ、失業保険をもらっていた時期もあり、乳飲み子を抱いて郵便局の窓口にわずかな手当をもらうために並んだときには、さすがに悲しかった。だが、本当に幸運にも、私はそのあとも、この業界で働き続けることができた。

最初はひたすら生活費を稼ぐために働いていたのだが、あるときから、これは私の天職だと確信するようになった。夢中で働き、夢中で子供たちを育てた。いつしか生活は楽になり、子供たちは大人になった。

私のこれまでの人生は、ざっくり振り返るとそれだけのことなのだが、仕事の性質上、非常に多くの日本企業の経営者やスポークスマン、あるいはアナリストたちに会って話を伺う。また、英国を中心にヨーロッパの投資家に日本の話をする。そんなことを長年してきたが、近年、逆方向の発信をする機会にも恵まれるようになった。親しくさせていただいている著名投資ストラテジストの武者陵司先生が主催される勉強会などで、ヨーロッパの投資家が現在の日本をどう見ているか、あるいは、私自身が長年外から日本企業を見てきて感じる変化などについて話をさせていただくことがある。

二〇一七年の一一月二七日にも武者先生主催の投資セミナーで少しそのようなお話をした。するとセミナーのあとで、参加されていた講談社のベテラン編集者である間渕隆さんから声を掛けていただいた。「本を書いてみませんか」という、考えてもみなかったオファーだった。

私に特筆すべき知識や専門的スキルがあるかといえば、残念ながらそうしたものは何もない。が、そんな普通の人間だからこそ、日本から遥か離れたエジンバラに住んで日本を見つめたとき、何か新しいものが見えるのだと確信した。そうした自分の感覚を信じて作成した「日本株ファンド」は、長期にわたり市場平均を大幅に上まわるリターンを生み続けている。

投資家として、また一個人として、古き佳(よ)きエジンバラから見える新しい日本の姿を、本書ではお話ししてみようと思う。

目次◉古き佳きエジンバラから新しい日本が見える

第二章　日本人だからこそ英語が通じる

序章　エジンバラの丘から眺める日本

ノーベル賞を生み出す歴史の街

夏のよく晴れた朝、ブラックフォード・ヒルの頂（いただき）に私は立つ。北西には、北海に面したフォース湾が望める。北海は、ここスコットランドから北ヨーロッパ、そしてスカンジナビアへと続いていく海だ。

私が立つ場所からはエジンバラの街が一望できる。エジンバラは小さな七つの丘を持つ美しい街だ。これらの丘は、太古の昔に火山だったものが、気の遠くなるような長い時間を経たあと、直近の氷河期に途方もなく巨大な氷の塊（かたまり）に押し込められて形成された。

そんなエジンバラは、意外なほど北に位置している。どのくらい北かというと、サハリン（樺太）の北端よりさらに北……モスクワとほぼ同緯度だ。

スコットランドは一八世紀から一九世紀にかけて、近代文明の最先端にあった国だ。その美しい都であるエジンバラには、この時代の記念碑といえるようなものが、そこここに数多く残されている。

いつも吹いている強風にあおられながら、この丘に立って街を見下ろすと、エジンバラは本当に慎ましやかな地方都市といった姿に見える。だが注意して見ると、街中には実に

北海に面したフォース湾を望む

様々なものが存在する。

七つの丘の一つ、ここブラックフォード・ヒルには、ヴィクトリア朝（一九世紀半ば）のスコットランド人科学者たちの努力を具象化したかのようなエジンバラ王立天文台が、当時の姿のまま建っている。この時代の科学技術の粋（すい）を集めて作られた天体望遠鏡を置くための「神殿」である。そして、合理的思考や科学的方法を中核とする、一八世紀に起こった「Scottish Enlightenment（スコットランド啓蒙主義）」へのオマージュでもある。

しかし、この天文台が現在ここに存在しているのは、歴史的建造物としての役目からではない。このドームのなかでは、今日も、技術者たちが最先端装置を開発し続けているのだ。

たとえば、天体観測用の人工衛星に搭載する、赤外線を使った電子の目——それもここで開発されている。これによって集められた新たなデータは人類の知識に加えられ、合理的思考と科学的方法（それこそが「Scottish Enlightenment」から始まった手法）によって宇宙への理解をさらに深めている。「Scottish Enlightenment」から二〇〇年を経たいま、理性の時代を生き続けようとするこの街で作られる最先端の装置が宇宙に飛び立つ。

二〇一八年五月には、このドームのすぐ隣に新しい円形のビルが建った。「The Higgs Centre for Innovation」だ。二〇一三年にノーベル物理学賞を受賞したエジンバラ大学のピーター・ヒッグス博士（ヒッグス粒子の提唱者）の名を冠したこの新しい機関は、スタート・アップ企業と世界最先端の天文学研究者を結び付けるべく設立された。

王立天文台の銅製のドームの彼方には、このエジンバラのスカイラインに大いなる存在感を与える丘、アーサーズ・シートが見える。アーサーズ・シートの麓（ふもと）には美しい広大な芝生が広がる。そしてそこには、英国王室ご一家が毎年夏に一週間を過ごされる清楚な佇（たたず）まいのホーリールード宮殿が、中世の修道院の廃墟の隣に建っている。

このホーリールード宮殿を起点に西へちょうど一マイル上って行ったところに、勇壮な姿でこの街の中心部を見下ろしているエジンバラ城がある。宮殿からお城までの一マイルの道はロイヤル・マイルと呼ばれ、壮麗なセントジャイルズ大聖堂や裁判所のほか、中世に建てられたお伽話に出てきそうな愛らしい姿の建物などが軒を連ねている。

シャーロック・ホームズの故郷

堅固な砦・エジンバラ城

ところで、この街のシンボルのひとつエジンバラ城は、美しいお城というより、むしろ堅固な砦といったほうが相応しい姿でそびえている。一年中、観光客で賑わう人気スポットでもあるが、ここは数多くの兵士が駐屯する軍事基地でもある。日曜日やクリスマスなどを除く毎日、午後一時には、北に向かって二五ポンド野砲から空砲が一発、発射される。これがかなりの音量であるから、すぐ真下のプリンシズ・ストリートあたりにいる観光客は、一斉に飛び上がる。エジンバラの住人はちらりと腕時計に目をやるだけだ。

　中心街を西側から見下ろしているのがエジンバラ城なら、東側から一望できる場所は、ウェイヴァリー駅の上に位置する小さな丘、カールトン・ヒルの頂である。ここはかつてジョセフ・ベル博士の研究室があった場所だ。

　この科学的手法の主唱者がエジンバラ大学医学部で教えた、アーサー・コナン・ドイルは、ベル博士の思考方法からインスピレーションを得て、探偵小説「シャーロック・ホームズ」シリーズを書いたといわれている。

　またエジンバラは、一八世紀の知の巨人デイヴィッド・ヒュームの故郷でもある。このヒュームにも大いなる影響を受け、『国富論』を書き、近代経済学の基礎を築いたアダム・スミスは、ここからフォース湾を渡ったところにある町カーコルディの出身だ。

　この時代にこの街で大きく開花したのは科学や哲学ばかりではない。世界的なロングセラー小説である『宝島』や『ジキル博士とハイド氏』を書いたロバート・ルイス・スティーブンソンも、一九世紀半ばにエジンバラで生まれている。

　臆病で引っ込み思案な子供だった私の心の奥に、冒険への憧(あこが)れという小さな火を点した『ピーター・パン』というお話がある。これを書いたジェームズ・バリーはこの街の出

カールトン・ヒルから望むエジンバラの街並み

身ではないが、エジンバラ大学を一八八二年に卒業し、「Edinburgh Evening Courant」という新聞に演劇評論を書いていたそうだ。

その後、現在も残る日刊紙「The Scotsman」の求人欄でイングランドにジャーナリストの仕事を見つけてエジンバラを離れ、のちに小説家・劇作家としてのキャリアを築いている。

この人が書いた『ピーター・パン』に幼い頃に出会ったことが、私の人生を方向づける最初の重要な出来事だったと、実は本気で思っている。そしてそれが、結果的に私をエジンバラに誘(いざな)ってくれたのかもしれない。

人類の知の転換点で期待される日本

人類の知の世界が大きく広がった時代、ここがその中心地となった。古代ギリシャで文明が飛躍的な進歩を遂げたことになぞらえて、エジンバラは当時「北のアテネ」と呼ばれたそうだ。

私が立つ、このブラックフォード・ヒルから遥か西方へ目を移すと、そこにはコストーフィン・ヒル、そしてクレイグロックハート・ヒルが望める。クレイグロックハート・ヒルは、ジェームズ・ハットンが地質学の理論を完成させた場所だ。それまでの「世界は六〇〇〇年前に神によって創造された」という常識が根底から覆(くつがえ)された。そう、地球はその何億年も前から存在していたことが証明されたのだ。

エジンバラで生まれた彼が『地球の理論』を出版したのが一七九五年のこと。ハットンは同時代人であるアダム・スミスや、産業革命の大きな推進力になった蒸気機関の発明で有名なジェームズ・ワットらとも親交があったそうだ。

チャールズ・ダーウィンが進化論に関する著作『種の起源』を発表したのが、それから半世紀以上経った一八五九年。ハットンの功績なくして進化論は生まれなかっただろう。

ちなみにダーウィンは、若い頃にエジンバラ大学の博物館で植物学の研究員をしていたことがあるそうだ。ハットンのお墓は、私が毎日その前を通るグレイフライヤーズ教会にある。

この小さな丘の頂に風に吹かれながら立ち、眼下に広がる小さな街から世界を変えた偉大な人々のことに思いを馳せるのは、私の至福の時間だ。彼らの思いは途切れることなく引き継がれ、いまも科学技術は前進し続けている。

いまや地球上の多くの人間が、かつては王侯貴族など一握りの者のみが手にすることができた豊かな生活を手に入れた。しかしいま、人類は、一度立ち止まって進むべき道を考える時期に来ている。これまでの延長線上を進んでいくことは、もう不可能だ。地球環境や社会正義を積極的に守っていく仕組みを真剣に考えなければ、もう人類に未来はない。そのことが誰の目にも明らかになってきている。

そうした時代に大きな役割を担う能力があると私が期待するのは、他でもない日本だ。身贔屓でいっているのではない。毎年、何百人という日本企業の経営者やスポークスマンと話をしてきて、これは最近、確信となった。

天然資源に乏しい日本がこれだけの経済大国になったのは、優れた人材という貴重な資源があったからこそ。そして、その優れた人材が学び、技術を開発し、誇るべき国民性たる「勤勉」をもって仕事に取り組んできたからこそだ。日本企業が生み出す環境技術や新素材などが、これからの人類の未来を切り拓いていく。

遠く東の輝く空を仰（あお）ぐ。空と海は一続きの水色のグラデーションとなり、そのなかに複雑な海岸線といくつかの小さな島とが幻想的な姿で浮かんでいる。スコットランドの夏は息を呑むほどに美しい。

ここから振り返ると、日本は本当に遥かな国だ。が、日本の近代化の黎明期（れいめいき）に、ここスコットランドで技術を学ぶために海を渡って来た人々がいた。そしてここから日本に渡り、その地に大いなる足跡を残したスコットランド人たちがいた。この場所に立っていると、いつもそんなことを思う。

私の背後にはブレイド・ヒルズ。ここは夫と私が愛犬二頭をよく散歩させる丘で、ゴルフコースがある。ブレイド・ヒルズの南は、平屋建ての家が多く立ち並ぶエジンバラ郊外。その先にはペントランド・ヒルズがそびえ、そしてその先は、遥か南、ロンドンへと続く道である。

第一章　英国で働いたから見えた日本の実像

英国から来た会長の意外な言葉

有名なジュール・ヴェルヌの冒険小説『八十日間世界一周』は、フランス人の若者が、ロンドンのウエストエンド、サヴィル・ロウ（Savile Row）に新しい雇い主を訪ねて来る場面から始まる。時は一八七二年一〇月二日。この三年前にスエズ運河と米国大陸横断鉄道がそれぞれ開通し、地球は急に小さくなった。たった八〇日間で一周できるほどに。

実は私の人生の物語も、第二幕がここサヴィル・ロウに雇い主を訪ねるところから始まっている。フランス人青年「パスパルトゥー（Passepartout）」がここに来てから一一五年後の六月の終わり頃のことだ。

当時、日本はバブル経済に沸いていた。この時代のことを思うとき、私の頭のなかで人気になったコマーシャルソングが鳴り響く——二四時間戦えますか？

いまとなっては冗談のような歌なのだが、日本企業が海外で大きな老舗企業を買収したり、ランドマークとなっているビルを買ったり、日本人観光客が世界中の観光都市に溢れたり、そんな時代の雰囲気をとてもよく表していた。

それでは若かった私も「世界で戦ってみよう」と、勇ましい気持ちでロンドンに来たのかというと、まったく違う。

元来、引っ込み思案で、人と群れることが苦手な私は、当時大ブームだったディスコなどとは無縁の青春を送っていた。英国の小さな輸出入商社の東京の事務所に勤めていたが、将来の見えない不安な日々。このままではいけない、変わらなければ……そんな思いが募っていたある日、ロンドンの本社から会長が東京にみえた。

そこで、「そうだ、ロンドンで働いてみたいとお願いしてみよう」と、急に思い立ったのだ。会長がお一人になったタイミングを見て、引っ込み思案の私にしてはいきなりの直球だ。「あの、私、ロンドンで働いてみたいんです」……驚いたことに会長は、にこにこしながら、「ああ、それはいいですね。ぜひ、いらっしゃい。日本との取引も増やしたいので、いろいろやってもらいたいことがありますよ」と、あっさり即答された。

数ヵ月後、サヴィル・ロウを不安な気持ちで訪ねた。『八十日間世界一周』の「Passepartout」はフランス人青年の綽名（あだな）で、「万能の」「どこでも通用する」という意味。そこから「マスターキー」も意味するフランス語だ。おそらくこの綽名は自分で付けたと思われる。

自分はどこでもやっていける、そんな風に思える人間の人生とは、一体どのようなものだろうか。私の場合はその真逆のような人間だったが、あのときのことを思い出すと、自分が本当に可哀想になるくらいだ。不安と緊張で押し潰されそうだった。

『マッサン』と現在の距離感

「背広」の語源になったといわれ、いまでも多くの洋服店があるサヴィル・ロウの通りには、昔ながらの高級紳士服の仕立屋が軒（のき）を連（つら）ねていた。その後、エジンバラでファンドマネージャーとしてのキャリアを積み、さらに現在の勤め先に移って間もない頃、営業マンと二人でロンドン・ウエストエンドの顧客を訪問する際、サヴィル・ロウを通った。初めて訪ねたときから約二〇年が経っていたので通りの雰囲気は少し変わっていたが、それでも昔ながらのテーラーの何軒かは、まだしっかり営業していた。

　私の当時の勤め先が入っていた建物も、まだそこにあった。不安そうに建物を見上げる若い自分がそこに見えるような気がした。「大丈夫、うまくいくよ。いろいろ苦労はあるけどね」――そんな言葉を掛けてあげたくなる。

『八十日間世界一周』は、「世界は急に小さくなったが、そうはいっても八〇日間で実際に一周するのは無理だ」と主張する友だちとの賭けで、フォッグ氏とパスパルトゥーが世界を大急ぎで旅するというお話。この時代からの一〇〇年、地球の小さくなりかたは、尋常ではなかった。

ざっくり同じコースを考えよう。ロンドンから、インド、シンガポール、香港、横浜(東京)、さらにサンフランシスコ、ニューヨークへと飛んで、そしてロンドンに戻ってくる。飛行機を次々に乗り継げば、二日ほどで世界を一周できるのではないか。

私がサヴィル・ロウにたどり着いた時点で、すでに世界の交通は相当なレベルに達しており、東京の実家の玄関から、ロンドンで借りていたアパートの入り口まで、わずか二〇時間ほどだった。それは現在でもさほど変わっていないと思うが、その後、驚愕の進歩を遂げたのが、いうまでもなく通信だ。私がサヴィル・ロウにいた頃と現在とでは大違い、本当にまったく違う。

よって、いまの私が体感する地球のサイズは、かつて感じていた日本よりもよほど小さい。これは誰にとっても同じことではないだろうか。

いま、物理的な距離というものを意識することがなくなった。エジンバラに住んでいる私にとって、東京に住んでいる友だちがエジンバラに住んでいる友だちより遠いということはない。インターネットを利用したコミュニケーションでは、距離はまったく意味を持たなくなる。私の母には毎週、日曜日に電話をするが、英国に来た頃にくらべて通信費は格段に安くなり、時間を気にする必要がなくなったので、長電話をすることも多い。

このように電話をするときには、さすがに時差は意識するが、インターネットによるコミュニケーションでは、時差を気にせずメッセージを送ることができて、本当に便利だ。こういう世の中になって良かったなあと思うのは、距離的に遠ざかることが辛くなくなったことだ。

母との日曜日の電話では、よくNHKの朝ドラの話になる。実話をもとに制作された『マッサン』では、初の外国人ヒロインのエリーがスコットランド人で、日本でマッサンと結婚するために国を離れる。そのときのエリーと母親との会話がとても悲しい。「我が家でも同じようなシーンがあったわね。思い出して涙が出ちゃった」と、母がしみじみと話した。

実際、ロンドンでしばらく働いたら帰ってくると思っていた娘がスコットランド人と結婚して彼の地に住むと知ったとき、両親は相当に動揺していた。エリーが日本に来た大正時代と比べれば世界は遥かに小さくなっていたが、外国に住むという距離感は、現在とはまだかなり違っていたと思う。

その後、私の子供たちが物理的に遠くに行くようになったのだが、インターネットが十分に発達したあとだったので、こういう辛さは味わわずに済んだ。もちろん一つ屋根の下にはいないのではあるが、いつでもＬＩＮＥで連絡しあったり、Ｓｋｙｐｅで顔を見ながら話すこともできるので、近所にアパートを借りて独り暮らしをさせるのと、ほとんど同じだ。

サヴィル・ロウのオフィスでは、女性秘書の仕事の大半はタイプ打ちだった。口述した手紙の内容を速記で書き取り、それをタイプする、あるいはテレックスで送信する。または、マイクロテープに録音した音声をヘッドフォンで聞きながらタイプする。これには、凄いなあと、心底感心したものだ。そのうちにファックスが導入され、テレックスは次第に使われなくなったが、相変わらずタイプライターは大活躍だった。タイプで清書した書類をファックスで送るのだから。

私がその会社を去る直前にはパソコンがお目見得（めみえ）し、ワードプロセッサーなるものが使われ始めた。私がサヴィル・ロウの勤め先にいたのは約三年間に過ぎないが、その間にもテクノロジーの変化は急速に進んでいたということになる。だが、パソコンに通信機能が付くのはもっとあとのことだ。

サヴィル・ロウでの日々は遥か昔になりつつあるが、あるときエジンバラの意外なところで、この名前に出会った。比較的最近の出来事だ。スーツの量販店を展開する日本の経営者の方たちにお目にかかった際、ミーティングの終わり近くで一人がお召しになっていたスーツの上着の前を開け、内側を見せてくださったのだ。そこには、「Savile Row」と刺繍（ししゅう）されたラベルが付いていた。

「サヴィル・ロウってご存じですか？」と聞かれ、「ええ、もちろんです」と答える。すると、この会社の最高価格帯の紳士服ブランドとしてサヴィル・ロウの名称を使うことができるようになったと、とても嬉しそうに話された。

明治のお雇い外国人たちの故郷

ヴェルヌの小説でパスパルトゥーは、一八七二年一一月一三日、横浜に上陸している。一八五九年に開港すると外国人居留地が造られ、当時、大変に活況を呈していた。その様子が、まるで本当に見てきたかのように語られている。

実はこれ、当時のフランスで発行されていた雑誌、その名も『世界一周』に掲載された旅行記から借りてきているようだ。『八十日間世界一周』は、物語の進行とほぼリアルタイムで、新聞小説として連載されたそうだ。いま読んでも十分面白いが、外国の地理や文化について知ることがなかった当時の一般読者にとっては、相当に興味深いものだったろう。

ところで、フォッグ氏とパスパルトゥーが横浜に上陸した頃までには、すでに多くのスコットランド人が来日し、その近代化に大きく関わっている。世界一周に何ヵ月も掛かった頃のことだ。

たとえば長崎の代表的観光名所であるグラバー邸の主人トマス・グラバーは、スコットランド・アバディーンの出身である。一八五九年にジャーディン・マセソンの社員として日本の地を踏んだとき、まだ二一歳だった。当時、幕府に武器を調達するのみならず、討幕派の藩とも取引をしていたので、この人物に関して批判がないわけではない。が、その後の日本の近代化にいろいろな分野で大きな貢献をしている。

グラバー以外にも多くのスコットランド人が日本に大きな足跡を残した。明治政府のいわゆる「お雇い外国人」第一号の技師リチャード・ブラントンは一八六八年、二六歳のときにスコットランドからやってきて、わずか七年半ほどの滞在の間に驚異的な仕事をしている。まず、多くの灯台を建設するとともに、その技術を伝えた。さらには鉄道や港の建設に関する意見書も作成した。まさに大活躍なのだ。

グラスゴー大学で近代エンジニアリングを学んだヘンリー・ダイヤーが日本に来たのも二五歳のとき。みな非常に若かったことに驚かされる。彼は、東京大学工学部の前身である工部省工学寮で、一八七三年から八二年まで近代技術の教育に力を注いだ。

あとになってしまえばその功績だけが記憶されるが、それぞれの人生には大きな苦労や失敗や悲しみもあったことは想像に難(かた)くない。が、それにしても、なんという冒険に満ちた偉大な人生だろう。

いろいろな事情や思いがあって海を渡ったのだろうが、私はスコットランド人には冒険好きな気質があるのではないかと思う。それは現在でもそうだ。

たとえばこういう話をよく耳にする。大学に入学が決まってからもすぐには入学せず、一年間、入学を遅らせることのできる制度を利用して旅に出るのだ。これをギャップ・イヤーという。当然、バックパックを背負っての貧乏旅行だ。それこそ世界を一周してくる強者(つわもの)もいるようだ。

日本にはギャップ・イヤーという制度はないが、もしあったとしたらどうだろうか。日本人には、人より遅れたくないという気持ちが強いように思える。同い年の人ばかりが揃って一緒に小学校に入り、そのまま中学や高校に進んで卒業するので、大学も一八歳で入らなければ後れをとったと感じてしまうのだろうか。

スコットランドでは初等教育の入学時期にもいくらかのばらつきがあり、大学に入学する人の年齢といったらかなり幅がある。ギャップ・イヤーでなくても、何年か社会で働いてから大学に入るという人も珍しくない。

日本人の若者は海外に出たがらない、というような話を聞くが、実際のところはどうなのだろう。私の若い頃とは違い、海外、特に欧米への憧れのような気持ちなど、そもそも持っていないのかもしれないが、国際的に活躍してみたいとも思わないのだろうか。「いや、そんなことはないですよ。うちの会社では、女性も含め海外派遣に大勢の若手社員が手を挙げますよ」と、嬉しそうに話してくれる経営者に何人も会ったことがあるのだが。

ところで、『八十日間世界一周』の最後の場面でパスパルトゥーが、主人のフォッグ氏に、「少し行程を変えていたら、あと二日ほど早く世界一周できたのではないか」といい出すのだが、フォッグ氏は意に介さない。確かに危険な目にも遭ったのだが、しかし、この行程だったからこそ、フォッグ氏は素晴らしい伴侶に出会い、世界一幸せな男となってサヴィル・ロウに帰ってきたのだから。

物語の冒頭では、まるで感情のない時計仕掛けの人形のような人物として描かれていたフォッグ氏。彼の体験を、日本の若者は何と見るのだろうか。

英国人とフランス人の大違い

さて、英国人は、一般に大変おしゃべりでフレンドリーな人が多い。以前は英国人以外のヨーロッパ人をあまり知らなかったので、日本人との比較しかできなかった。ところが、一〇年ほど前からフランスの会社で働くようになり、多くのフランス人の同僚と仕事をしてきて気付いた。会社の研修などで数人のグループになったりすると、初対面の人ばかりでも、英国人は始めから和気靄々(わきあいあい)になるのが普通だ。ところがフランス人は、知らない者同士の場合、あまり友だちのような口を利(き)くことはないようなのだ。

日本人の場合は、こういう場面ではどうなのだろう。実は、私は日本でこうした研修に参加した経験がないのだが、どちらかというと、フランス人に近いのではないかと想像する。

年に一度ほど、一組六人ほどの英国人投資家一〇組と、次々に三〇分ずつ会って、日本経済や私の運用しているファンドの話をする。こういうイベントで大勢の人に会うと、「英国人とは本当に気のいい人たちだな」と思うことが多い。

それぞれのグループのメンバーも別々の会社から来ているので初対面のケースが多いのだが、みなリラックスしており、ほとんどのグループとのミーティングは、活発かつフレンドリーなディスカッションになる。

このときにいつも感心するのは、それぞれの人がみな違った意見を述べるということ。一人が何かいうと、みなが「そうですね」と肯（うなず）いているだけといった状況は見られない。

こういう席で反対意見をいうのは、日本人にとっては勇気が必要だろう。気まずい雰囲気になることを恐れるからだが、英国人はそんな風には感じないようだ。

それどころか、たまに全員が同じ意見に傾いていたりすると、本当は反対していなくても、「でも、こういう考え方はどうかな」と、敢（あ）えていう人もいる。これは、「devil's advocate」といって、故意に反対の立場を取ることで議論を深める手法。「悪魔の代弁者」とでも訳そうか。いずれにしろ、「空気が読めないダメな人」などと思われることはない。

英国に専業主婦は存在するのか

ところで私は、数年前、高校を卒業して初めてクラス会に出席してみて驚いた。職業を持っている人が少数派だったからだ。

私の出身校は巷間「名門」といわれる東京の私立女子校で、ほとんどの生徒は一生懸命勉強し、その多くは一流大学に進む。しかし私の同級生たちは、大学を出て就職をしたものの、キャリアを築いた人は少ない。私のようにずっと会社勤めをしている人は、ほんの一握り。多くは結婚して専業主婦になっていた。

このことを、あるときフランス語の家庭教師エドゥアールに話してみた。「みんな若い頃あんなに一生懸命に勉強していたのに、ほとんどの人が主婦に収まっていたので驚いたわ。フランスの女性は、ほとんどの人が仕事を持っているのでしょう?」と。

すると彼は、意外な答え方をした。「結婚している女性のなかには職業を持たない人もたくさんいるけど、私はfemme au foyer(主婦)ですという人は、まずいないね」――それでは、自分のことを何というのか? 絵を描くのが好きな人なら、「私はアーティストです」というのだそうだ。趣味でエッセイでも書くような人は、堂々と、「私は作家です」というらしい。

あるとき、英国のテレビのクイズ番組で、司会者が出場者の女性に「職業は？」と聞いていた。すると、その人はにっこり笑って、「家でお母さんをしています」と答えた。「お子さんは何人で何歳ですか？」と司会者が続けると、「一七歳の娘が一人です」……とたんに場内から失笑が起きた。司会者も何とコメントしたものかと、一瞬、困ったような表情になった。なぜか？

英国では、確かに、子供が一〇代になっているのに「家でお母さんをしている」人には滅多に会わない。日本では、このように失笑されることはないだろうが。

将棋・加藤一二三九段の名言

何年も外国に住んでいるといっても、やはり日本に帰ってくると、私は本当にほっとする。東京の冬は、ヨーロッパと違って気持ちよく晴れる日が多い。金色のイチョウの葉がきらきら輝いているその下を仕事に向かうときなど、心震えるほどの幸福感を覚える。そうして、しみじみと「ここが私の故郷よ」とつぶやいてみたりする。私にとって本当にリラックスできるのは、やはり日本なのだと思う。

そんな私を毎回うんざりさせることが一つある。ヨーロッパではまず経験しないであろうこと、それが日本では毎日のように起こる。人々が二言目には年齢を話題にすることだ。それもネガティブに……。

「お元気そうですね」

「いやいや、僕ももう歳ですよ。老骨に鞭打って、なんとかやってます」

これが私より明らかに若い人だったりすると、本当に失礼な奴だと腹が立ち、いっぺんで嫌いになってしまう。

「○○さん、ジムに通い始めたそうよ」

「ええっ、あの歳で？　よくやるなあ」

「あの人、実は私たちより歳上なのよ」

自分のほうが一つでも若いと、「勝った」と思っている。

「このところ忙しかったから、ちょっと疲れ気味なの」

「もう歳だからよ」

余計なお世話だ！

英国以外の外国に住んだことがないので他の国のことは分からないが、少なくとも英国人が年齢を話題にすることは、まずない。親しい友人同士でも、お互いの年齢を知らないことは珍しくない。

それにしても、なぜ日本人は、何かにつけて、この歳で、その歳で、あの歳でと、いちいち年齢を話題にするのか？　しかも、ほとんどの人が歳をとることは自分の価値が下がることだと思っているようだ。

また英国人が一般に、仕事を引退して年金生活を始めることを心待ちにしているのに対し、日本で「もうすぐ定年なんだ」というセリフを嬉しそうにいう人に会ったためしがない。

二〇一六年の夏、スコットランド西海岸での一週間のセーリングスクールから帰った息子の報告——同じヨットに乗った数人のなかで若者は息子だけ。他の参加者はみな六〇代だったそうだ。仕事を引退して、これからは時間がたっぷりあるので、大いに生活をエンジョイするぞと、みな本当に楽しそうだったとのこと。

そんな日本で、近年、とても印象に残った出来事がある。将棋の加藤一二三（かとうひふみ）九段の引退会見だ。テレビで見ていると、インタビュアーが「いちばん幸せだったのは、いつでしたか？」とか、「これからはのんびりするんですか？」などと発言していた。日本ではおそらく普通の会話なのかもしれないが、私は大変に無礼な発言だと思った。

しかし、加藤さんの答えが振るっていた。

「いちばん幸せなことは、これからやってきます」

引退するというのはプロを引退するという意味で、それは公式戦にはもう出ないということであり、将棋はずっと続けるし、人生を引退したわけじゃない、というようなこともおっしゃっていたと記憶している。

これを聞いて本当に嬉しかった。私もこのように生きようと思った。

就活ルックもレストランの注文も

ある年の夏、東京を歩いていると、暑いのに黒いスーツをきちんと着込み、同じようなA4サイズのショルダーバッグを肩に掛けた若い女性がやたらと目についた。あれは何かの制服なのだろうか、などと思ったりした。

そんなある日、ある企業を訪問しIR（インベスター・リレイションズ。投資家とコミュニケーションをする活動）担当の方と面会をしたあとに会議室を出ると、受付のところにずらりと五人ほど、この黒いスーツ姿の女性が並んで座っていた。私は近眼で、最初、全員が同じ髪型と顔に見えたので、一瞬、人形が並べて置いてあるのかと本気で思った。

少し近づく。すると、生身の若い女性たちだと分かった。が、それでも見分けがつかないくらいそっくりに見えた。就職活動中の学生たちなのだ、とやっと気が付いた。

それにしても、なぜみな同じ格好をしているのか？　就職活動とは自分をアピールする活動ではなかったのか。

「あ、あれはね、あれじゃなきゃダメなのよ。一人で紺とかグレーとか着てきたら、協調性がないと見なされて、アウトなのよ」――最近、就職したお嬢さんがいる知人の解説を聞いて、唖然とした。なぜ違う色のスーツを着てくると協調性の欠如と見なされるのだろうか？

たとえば平服がドレスコードのパーティーに、目立ちたいからといって振り袖を着てきたら、それは協調性がないということになるだろう。しかし、ルールでもなんでもなく、いつの間にかみな、黒を着てくるようになっただけである。同じようにするなどというのは、単に主体性のなさではないのか。世の中には黒が似合わない人もいる。その場合、不利に働かないのだろうか。なんとも解せない。

同じことをすることとイコール協調性なのかと、ひとしきり考えたあと、昔の出来事を思い出した。私がまだ資産運用業界に入る前のこと。当時、私はロンドンで小さな輸出入商社に勤めていた。

ある日、日本から英国製品の買い付けに来たビジネスマン、男性ばかり一〇名ほどをレストランに案内したことがあった（当時、日本から来るのは男性ばかりだった）。朝からいくつかの企業を回った。海外出張は初めてという人がほとんどで、ちょっと緊張気味だった。しかしランチは時間もたっぷりあった。少し寛いでもらおうと思いながら、カジュアルめで自然光に満ちた美しいレストランに案内した。

ウェイターから一人ひとりにメニューが渡される。すると、みな一様にやや緊張の面持ちになる。しばらくして、ウェイターが一人に尋ねる。「何になさいますか？」――グループで一番シニアな人だ。幸いなことに、この人は英語に慣れているようだった。「うーん、前菜はこのスープ。それからメインはビーフステーキ」。ウェイターは隣の人に尋ねる。するとその人は、「The same, please.」。次の人も「The same, please.」。さらに次の人も……結局、全員が同じものを注文した。

最後は私だったのだが、九人が「The same, please.」といったあとで違うものを注文できる雰囲気ではなかった。結局、私も含めて一一人が、同じものを注文することになった。

加えてステーキの焼き方も、最初の人がミディアムといったので、全員がミディアムとなった。私はなんとも堪らない気持ちになったが、どうしようもない。

それから少しして、伊丹十三監督の『タンポポ』という映画を観たとき、これとそっくりなシーンが出てきて、笑ってしまった。もっとも映画のなかでは、最後の一人、しかも一番若い人がフランス料理にやたらと詳しく、なんとも洗練された会話を給仕長としながら、好みの料理に細かい注文を付けて頼んだ。結果、その場の雰囲気がなんともぎこちなくなる、というものだった。

最近の言葉でいうと、この若い人は「空気が読めない」ということになるのだろうか。私は長いこと英国に住んでいるが、レストランに三人以上で入って、全員が同じものを注文したということは、一度も経験していない。

マーガレット・サッチャー元英国首相の自伝に、確かこんなくだりがあった。若い頃に、「ダンスを習いたい」「映画に行きたい」などというたびに、父親から「みながしているから自分もしたいというのは絶対にだめだ」といわれた、と。いつも自分でよく考えて行動しなさい、ということだ。他と違うことをすることイコール協調性がない、などと考えるのとは正反対だ。

ちなみに、株式投資でも、みながしていることをするのではだめ。これは儲からない。

私は多くの企業人に、同じ服装で面接に来る学生のことを聞いてみた。するとほとんどの人が、こう答える。「いつの頃からか、みんなあの格好で来るようになりましたが、別にこちらは、そんなことは期待していませんよ」と。

そして、多くの人がこう付け加えた。

「もちろん常識の範囲というものはあると思いますが、みんなとまったく同じというよりは、少し個性を出すほうが、当然、印象に残ります。むしろ、そのほうが有利だと思いますがね」

周りに就活生がいたら、ぜひ教えてあげてほしい。

欧米企業は実力主義なのか

私が金融業界に入った頃から、英国では、企業の再編が始まりだしていた。私が入社したスコティッシュ・プロヴィデント（Scottish Provident）も同業他社を買収したのだが、買った側なのに人員整理はこちら側がほとんどで、娘が生まれて産休中だった私にも解雇通知が届いた。

当時、私は証券アナリスト試験もまだ最終レベルの勉強中であったし、実務経験も二年ちょっとしかなかった。その頃までには日本経済に対する悲観的な考え方も蔓延していたので、再就職することは非常に難しいように思えた。

証券アナリスト試験の勉強も大変だったが、会議などでほんの一分ほどの話をするにも、前夜に一時間も二時間もかけて夫の前で練習したものだった。こうした必死の努力がすべて無駄になるかと思うと、目の前が真っ暗になった。

しかし幸いなことに、数ヵ月後、「スコティッシュ・ライフ（Scottish Life）」という生命保険会社からオファーがあり、仕事を継続することができた。そして私のファンドマネージャーとしてのキャリアが本格的に始まったのはその二年後、「マーティン・カリー（Martin Currie）」という独立系の資産運用会社からヘッドハントされたときである。

この会社では、業界では有名人だったファンドマネージャーに厳しく鍛えられた。毎日が充実していたが、三年ほどすると、ここには私の将来はないと思うようになった。なぜか？

日本では、欧米企業は実力主義が支配し、女性でも本人の努力次第で活躍できると思われているが、多くの場合、現実はかなりかけ離れている。この会社の場合、メインプレーヤーは、名門私立校から一流大学に入って卒業した英国人男性であり、それ以外のカテゴリーの人は、たとえ肩書が同じでも、同列ではなかった。

そのことについて、私は、初めの頃は気が付いていなかった。が、薄々感づき始めた頃に、こんな出来事があった。ある日、会議で、ここから数ヵ月の市場の見通しをそれぞれが話すことになっていた。しかし、あいにく日本株チームのヘッドと副ヘッドがともに出張中だったので、私は当然、自分が代わりに話すことになると思い、前の晩に準備をしていた。日本株チームは四人で構成されており、私は自分が三番目だと思っていたからだ。

ところが、会議に呼ばれたのは私ではなかった。一年ほど前に大学を出たばかりの英国人男性だった。私のなかではその人物がチームの一番下っ端だったのだが、英国人の意識のなかでは、私はベンチ入りもできない戦力外の選手だった、ということだろう。

そのことに気付いたときには、全身がブルブルと震えだして止まらなくなった。オフィスを飛び出して、近くの電話ボックスに飛び込むと、夫に電話をして号泣した。その後すぐに同業他社からヘッドハントされたのを機に、私はこの会社を、迷わずにすっぱりと辞めた。

エジンバラを訪ねる経営者たち

ファンドマネージャーとして働いていると、本当に多くの人と話をする機会に恵まれる。私は根が引っ込み思案なので、駆け出しの頃はそれが辛くもあったが、現在では喜びに変わっている。

社内の会議などを別にすると、私が会う人々は、大きく二つのカテゴリーに分けられる。まず日本企業の経営者、またはＩＲの担当者である。本当に数多くの企業の方々にお目にかかる。場所は証券会社が主催する投資フォーラムだったり、会社を個別に訪問させていただくことも多い。

また、驚かれるかもしれないが、先方からエジンバラにお越しになるケースも非常に多い。このカテゴリーでは大半の方が日本人だが、ヨーロッパ人や米国人であるケースもちらほらある。

もう一つのカテゴリーは、私にとってのお客さん層、つまりヨーロッパ人、主に英国人の投資家である。三年ほど前までは、前者が圧倒的に多かったが、日本の状況が良くなるにつれて私のファンドに関心を持ってくれる人々が増え、後者とお話をする機会が格段に増えた。

この二つのカテゴリー以外に、エコノミストやアナリスト、ストラテジスト（投資戦略の専門家）といった方々にも、年間を通じ、東京あるいはエジンバラでお目にかかる。そんなわけで、引っ込み思案の私が、毎年、軽く数百人を超える方々と面談をしている。そんな、自分でも信じ難いような生活をしている。

激変した日本企業の空気

私が駆け出しだった一九九〇年代後半くらいまでは、日本企業のＩＲミーティングというと、六人も七人もぞろぞろと訪ねてくるのが普通だった。そのなかで一番偉い人以外は、「じゃあ、その質問については君からお答えして」というように話を振られない限り、まったく口を開かなかった。ほとんどの人は、ただそこにいるだけであった。特にその一番偉い人が社長である場合などは、みなが神妙な顔で控える家来といった風情だった。

そうした御付きの人々は、大きなファイルをそれぞれ抱えて入室してくることが多かった。そして投資家から質問が出ると、すごい勢いで答えの載っているページを探す。

そんなある日、私は米国の大手企業のＩＲミーティングに出席することになった。その企業は私のファンドが株を保有していた日本企業の最大の競合相手だったので、参考になる話が出るだろうと出席させてもらった。米国株担当のファンドマネージャーほか、やはり私のように他の市場を担当している人も参加したので、こちら側が七〜八人になった。

そこへ、小柄でかなり年配の米国人が一人、にこにこしながら手ぶらで入ってきた。ちょこんと椅子に腰をかける。そうしてテーブルの上で手を組み、人の好さそうな表情で、ファンドマネージャーたちの顔を見回すと、「なんでも聞いてちょうだい」……まるで、ちょっと通りかかったから寄ってみたよ、というような風情なのだ。

このミーティングには度肝（どぎも）を抜かれた。この人物にファンドマネージャーたちが次々に質問すると、その一つ一つに的確な答えを与えていく。かなり細かい数字に関する質問に対しても同様である。多くの数字を、なんの資料も参照せずに、すらすらと答える。私はすっかり圧倒されてしまった。その当時の日本企業のＩＲミーティングとの違いに、ため息さえ漏らしてしまった。

ところが心強いことに、日本企業のＩＲミーティングが、ここ数年、俄然（がぜん）面白くなっている。みなトレーニングされているのだろう、話し方自体も格段にレベルが上がっている。以前は質問をしても型通りの答えが多く、会話として発展していかないケースが多かったが、いまはほとんどのミーティングが本当にエキサイティングだ。

加えて、現在は、こちら側からの出席者が私一人ということが大半で、これは面白い展開になりそうだと思えば、すぐにでも投資をすることができる。ミーティングの途中で、すでにドキドキワクワクしてくるということも多い。

また、経営者の多くが、問題点についてフランクに話してくださるケースも増えている。以前は、自社に関するネガティブな情報は絶対に伝えないという人も、時おりいた。しかし、ビジネス上の問題が存在しない、という会社は存在しない。現在の問題点やリスクを正面から話してくださる経営者には、むしろ信頼感を抱く。

日本企業の風通しが良くなっている点も指摘したい。たとえば社長が話したあとに、「それについて、私からちょっと補足させてください」などと、若手社員が自発的に発言することも珍しくなくなった。逆に、自由に発言できない空気のある会社が問題を起こすのも、よくあることである。

エジンバラでも豆撒きをするわけ

二〇一七年九月から二〇一八年六月まで、私の息子は名古屋大学に留学していた。ちょうど二〇歳だったので、紋付き袴姿の記念写真を撮ることにした。我が家の子供たちはエジンバラ生まれ、エジンバラ育ちだが、七五三の写真も、日本でちゃんと撮った。そう、私は伝統的なことをするのが大好きだ。

ずっと前のことだが、東京で知り合いの若い女性と食事をしていたとき、その人がうんざりした顔でこういった。「うちのお姑さん、家族の行事みたいなの大好きで、そのたびに家族を集めるんですよ。節分には豆も撒くんですよ。二一世紀に家族で豆なんか撒いてる人いませんよね」……二一世紀になっても毎年、節分にはエジンバラで豆を撒いている私は、絶句した。

そうなの？ もう豆って撒かないの？ そんなことはないはずだ。だって季節になると豆撒き用の豆をお店で売っているし、鬼のお面付きのものだってあるじゃないか。彼女がいったのは、「小さな子供がいない家庭では豆なんか撒かない」という意味だったのではないか。

我が家の子供たちは成人した。それでも豆は撒く。さすがに夫に鬼のお面を被らせて子供たちと追いかけ回すことはしていないが。

いまでも私は桃の節句にはお雛様を飾り、端午の節句には実家の家紋の入った兜を飾る。それぞれ子供が生まれたときに両親が贈ってくれた、私の宝物だ。

私の両親も伝統行事をきちんとする人たちだったので、海外生活が長いといっても、いまだに風習を大事にするのが当たり前になっているのかもしれない。でも、伝統を大切にしなければならないという義務感で行っているのではない。

お雛様や兜を飾るとき、それぞれ子供が生まれたときに感じた大きな喜びが、私の体のなかに現在も残っていることに気付くのだ。そして、子供たちの幸福な未来を祈る。いつだって祈っているが、子供たちが生まれたときの喜びを思い出しながら祈ることは、こうした機会があるからこそできる。だからこそ、伝統行事を大切にしている。

男子の場合、衣装を着けるのは、あっけないほど簡単だった。一方、女の子の振り袖の着付けは大変。髪や化粧も同様だが。

そんな娘の成人式は二〇一三年、早稲田大学国際教養学部一年生のときのこと。日本の生活にも大分慣れた頃だった。まだかまだかと待ちわびている私と母の目の前に、華やかな紅い振り袖を纏った娘が、輝くような、それでいて少しはにかんだ笑顔で現れた。その美しい姿を見たときの喜びを、私は一生忘れないだろう。

王子の前で伝統衣装を着ない理由

日本語があまり上手ではない息子は、七五三のときとあまり変わらない感じで（本人も、「あれ、あの長いキャンディスティック、今回は持たなくていいの？」なんて自虐的に笑っていたが）、終始上機嫌で撮影を終えた。男の子の場合、成人式だからといって和服を着る人は少数派だと聞いていたが、私が日本の正装で写真を撮ろうと提案したとき、息子はすぐに同意した。

そのときに思い出したのが、前年の夏のことだ。息子がデューク・オブ・エジンバラ・アワード（The Duke of Edinburgh's Award）という賞をいただけることになり、エジンバラのホーリールード宮殿に招待されたときの話。

これは、英国の多くの若者が参加するもので、チャリティ活動、登山などのアクティビティ、その他いろいろなチャレンジ項目があり、それを達成していくと、まず銅賞、そして銀賞、さらに金賞をもらえる。最後は宮殿に呼ばれ、エジンバラ公フィリップ殿下から賞状がいただけるというもの。夫がいうには、昔の若者なら普通にやっていたようなことばかり、なのだが。

しかし、銅賞をとっていると大学入学に有利だとまことしやかに囁かれることもあり、非常に多くの若者が銅賞まではとるようだ。ただ、そこでやめてしまう人が多いなか、活発なタイプではない息子が大学入学後も活動を続け、金賞まで受賞したのは、私には嬉しい驚きだった。このときは、ちょうどエジンバラ公が公務からの引退を発表された年。このアワードが直接、フィリップ殿下ご本人から授与される最後の年ということだった。

そこでだ。私は当然、息子がスコットランド男子の正装、キルトを着用するものだと思っていた。正式なディナーパーティーなどには、スコットランド人男性は、ほとんどがキルトを着て現れる。私たちの結婚式はロンドン郊外で行ったが夫はキルト姿だったし、その後も夫婦で参加する正式なパーティーには、いつもキルトを着用した。息子はキルトを持っていなかったので、借りるか、それともこれを機に買うか、と私は考えた。

ところが驚いたことに、本人が「キルトは着ない」ときっぱりいう。前年に東京の従兄の結婚式に際して買ったスーツがあるからそれでいいというのだ。

息子がただの天邪鬼ではないことが分かり、さらに驚いた。彼はキルトを着ない理由をこう語った。

──恐らく数年前であるならキルトを着ていたと思う。けれど、スコットランド独立を巡る住民投票の頃からスコットランド人のアイデンティティが政治的なものになってしまった。いま、スコットランドの民族衣装を身に着けることは、自分は英国人ではなくあくまでスコットランド人であり、それが自分のアイデンティティであるということを発信することになってしまう。僕のアイデンティティは子供の頃から、ハーフジャパニーズ、ハーフブリティッシュであって、ハーフスコティッシュではない。だからキルトは着ない。それに、ユナイテッド・キングダムのウェセックス伯爵（エドワード王子）がお出ましになるのに、わざわざスコットランド人を強調する衣装で出掛けるのは失礼じゃないか（結局、エジンバラ公フィリップ殿下は、体調がすぐれないということでお越しになれなかった）。

これには驚いた。私は日本の成人式に紋付き袴を着るのと同じ感覚でキルトを着ればいいと思っていただけなのだから。

当日、七月初旬の美しい日、ホーリールード宮殿の庭園に、多くの若者とその両親たちが集った。祝賀ムード満載である。女の子たちはみな、それぞれ品のいいワンピースを着ており、男子はやはりキルト姿が多かった。

エドワード王子がヘリコプターで到着される。そのヘリコプターは、それまで宮殿内でエリザベス女王に謁見していたカナダの首相を乗せて飛び去って行った。

いくつかのグループに分かれ、そこにゲストとして招かれた人が向かう。そうして一人ひとりに賞状を渡し、記念撮影を行う。息子のグループのゲストは、エレイン・ホップリーという女性冒険家だ。

エドワード王子がそれぞれのグループを訪れ、若者たちと親しく言葉を交わされる。キルトを着てきた若者たちは、王子に失礼に当たるかもしれないなどとは考えていないし、王子もそんな風にとるはずもないだろう。が、私は息子が伝統衣装を回避したことを誇りに思った。伝統だからといって、ただそれを踏襲すればいいのではない。そこに心が入っていなければ、まったく意味をなさない。

それで思い出すのが、二〇一八年四月に起こった大相撲巡業での出来事。土俵上でスピーチをしていた舞鶴市長が倒れ、救命に駆けつけた女性が、土俵は女人禁制だからといって降ろされた一件だ。英国でも報道され、私は非常に恥ずかしく感じた。

相撲は神事であり、土俵は神聖な場所であるので、女性は入ってはいけないというのが「伝統」なのだそうだ。そんなふざけた伝統が、それこそ二一世紀にあってたまるかと、私は思った。

そもそも女性を不浄とする考え方は、古代の神話にはなかった。それどころか、神話の多くの神様は女神であり、最高神の天照大御神（あまてらすおおみかみ）は女性ではないか。女性はむしろ尊ばれる存在であった。

それが、ずっとあとの時代になって、社会的な理由で男尊女卑の考え方が定着した。これはもう、明らかに、時代に合わない。多くの人の共感を得られなくなった「伝統」を守るなどというのは、アンフェアな既得権益にしがみつくのと同じで、非常に見苦しい。

運転手から感謝された日本の貢献

イングランドのノースヨークシャー、ハロゲートという町に仕事で行ったときのこと。二〇一六年の九月だ。美しい町だから少し早めに行って散歩してみるといい、そう何人かの人にいわれた。また、この町には「ベティズ」という素敵なティールームがあり、美味しいケーキがあるから寄ってみるといい、とも。出張が楽しみになった。

そのため、午後早めの時間に着き、ホテルにチェックインする前に町へ行くと決めたのだが、なんと（というか、よくあることなのだが）乗り換えのヨークに着く前に電気系のトラブルとかで電車が止まってしまった。その後、別の方法を見つけ、さんざん時間をかけてヨークまで辿り着いたものの、その先、乗り換えてハロゲートまで行く電車はまばら。ちょうどいま、一本が出てしまったところだった。

英国は鉄道発祥の地ではあるが、私は英国で鉄道を利用するたびに、日本の鉄道の度外れた素晴らしさに思いをめぐらさずにはいられない。スピードなどの技術的優位性はいうに及ばず、その快適さ（故障の少なさ）、そして乗り継ぎの良さ、さらには駅員・乗務員の礼儀正しさ、正確な知識は特筆に値する。もっというと、新幹線が東京駅を出発する前には清掃チームの皆さんが、ムダのない動きで、短時間に完璧な仕事を、しかもイキイキとこなす。こういう光景は絶対に日本でしか見られない。

さて、悪戦苦闘してハロゲートに辿り着いたときには、すでに午後七時過ぎ……九月初旬の北イングランドでは、日没がその頃なのでまだ夜ではないが、これから散歩をするなどという気分ではなくなっていた。

駅前からタクシーに乗る。他のヨーロッパの国と違って、英国ではタクシーの運転手さんは地元出身の人が多く、わりに人懐こく話しかけてくることが多い。特に地方都市に行くと、乗っているあいだ中、その町の歴史やら名物やら、いろいろ話してくれる人がいて、なかなか楽しい。

が、このときの運転手さんは、明らかに外国人風。顔立ちからするとインド方面の人か、くらいしか分からない。また愛想もなく、口も利かない。私も予想外の長旅になって疲れていたので、行き先だけ告げて、あとはむしろ話しかけられなくてラッキー、くらいに思っていた。

だが、ふと気が付くと、この運転手さんがバックミラーで、ちらちらと私を観察しているようである。「ふーん、この辺りでは東洋人が珍しいのかもね」くらいに思っていたら、突然、意を決したように、話しかけてきた。

「アー・ユー・チャイニーズ？」——私が英国に住み始めた頃なら、東洋人といえば、まずジャパニーズだった。それがこの頃は、東洋人といえばチャイニーズ。知らない人に「ニーハオ！」と声を掛けられたことも、一度や二度ではない。こういう場合、相手に悪気がないことは明らかなのに、ついむっとして「アイ・アム・ジャパニーズ！」と不愉快そうに答えてしまう。そうして、あとになって自己嫌悪に陥るのが常だ。

このときも、またかと一瞬うんざりしたのだが、疲れていたので、「アイム・ジャパニーズ」とだけ無表情で答えておいた。

ところが、である。ここで話は思わぬ方向に展開していく。三〇代半ばと思われるバックミラーのなかの無表情な顔が、突然、シャイな笑顔として弾けたのだ。

「あなたは、私が出会った初めての日本人です。日本人に会うことがあったら、お礼をいいたいと、いつも思っていたんです」

私は一瞬、きょとんとした。お礼？　何の？　彼は続ける。

「私はアフガニスタンから来ました。日本はアフガニスタンのために、本当にいろいろなことをして助けてくれています。道路とか、橋とか、その他いろいろ、日本がお金を出して造ってくれました。本当に助かっています、みんなとても感謝しています」

私の体から、さっきまでの疲労と不機嫌が、魔法のように一瞬にして消え去った。彼は続ける。

「いつか日本人に会うことがあったら、お礼をいいたいと、ずっと思っていたんです。今日、それが実現して、本当に嬉しいです」

日本が造った橋が紙幣の図柄に

私は何か不運なことがあったときに、よく、「これは何か良いことが起こるために必要だったに違いない」などと何の根拠もなく思うことがあるのだが、このときなどは、まさにそうしたケース。鉄道のトラブルに遭遇し、何時間も余計にかかって、疲労困憊で見知らぬ町に到着する。翌日は早朝から夜まで仕事だ。最悪だ、となるはずだった。

しかし、そうではなかった。私は、この人のタクシーに乗るために、この時刻にハロゲート駅に到着したのだ。そう確信した。

ほどなくホテルに到着し、笑顔で握手して別れるとき、さらに彼はこう付け加えた。

「日本人のお友だちにも、アフガニスタンで私たちがどんなに感謝しているか、それをぜひ伝えてくださいね」

翌日は朝早くから、数多くの英国人投資家と面会した。その際、「日本の世界における存在感が、かつてと比べ薄れているようだ」といった類いの発言が出るたびに、「日本企業が作る製品が、かつてのような最終製品から、マテリアル、デバイス、製造装置に移っているため、外から見えにくくなっているのです」と答え、それとともに前夜のタクシーでのことを話した。

前の晩、ホテルに着いてから早速、調べてみた。実際、日本は、アフガニスタンに多大なる貢献をしている。これはアフガニスタンに限らない。カンボジアでは、日本がＯＤＡ

（政府開発援助）で造った橋が紙幣の図柄になっており、そこには両国の国旗が並んで描かれているほどだ。

このように、日本は世界中で同様の貢献を行っているのだが、それがあまり知られていないのではないか。人類の幸福のために世界経済を発展させる、というときに、ただ企業が儲かる仕組みを作ればいいというものではないだろう。長期的には、安心して安全に、そして幸福に暮らしていける人の数が、この地球上で増えていくことのほうが重要なのだ。

日本は、国家として、世界中に数多くの貢献をしている。そのことを、もっと発信してもいいのではないか。

紛争に乗じて武器を売れば大儲けできる企業も国家もある。戦争で得をする人が、この世には大勢いる。戦争がなくならない理由は、ここにある。

一方、日本は平和な世界を目指している。平和な世界では、長期的に、経済が発展していく。すると日本は、もっともっと存在感を示せるはずだ。

ところで本書によって、あの運転手さんとの約束も、ほんの少しは果たせたのかもしれない。

教養レベルが高い普通の日本人

「日本の教育は知識の詰め込みが中心で、自分の意見をいえるような人間が育たない。何年も英語を習っても話せるようにならない。そもそも語学を始めるのに中学からでは遅すぎる、小学生から始めるべきだ」……もう耳にタコができるほど、ずっと前から、日本ではこんなことが喧(やかま)しくいわれてきた。

ただ、海外に暮らしてみてつくづく思うのは、日本の教育はダメではないということ。ダメどころか、かなり優れていると私は思う。その根拠は、日本の普通人の教養レベルが非常に高いということだ。

たとえば、自国の歴史のざっくりとした流れを知らない日本人に私は会ったことがない。また、新聞が難しくて読めないとか、簡単な足し算やお釣りの計算ができないという人にも会ったことがない。クラシック音楽に特に詳しくなくても、モーツァルトの曲がどんな感じのものか知っている。ショパンはピアノの名曲を生み出している、などということも。

絵画に詳しくなくても、レオナルド・ダ・ヴィンチやルノワールやゴーギャンの作風がどんな感じなのか見当も付かないという日本人にも、会ったことがない。加えて、ざっくりとした世界地図が頭に入っていない人もいない。

……海外で暮らしてみると、このような教養のない人がざらにいることに驚かされる。

日本人が自分の意見を上手に伝えられないことは問題かもしれない。が、自分の知らないことについて堂々と意見をいえてしまう人は、もっと問題だと思う。海外では、こういう人にしょっちゅう出くわす。私は英国でフランスの会社に勤めているので、外国人一般ということではなく、主に英国人とフランス人のことだが。

一方の日本人は、間違ったことをいったら迷惑になるとか、つまらない意見だと思われたら恥ずかしい、などという風に思うのが普通なのではないか。素晴らしい意見を持っていても自信のなさゆえに表明できないというのは悲しい。が、知識すら持たない人が自信満々に披露する持論は、役に立たないどころか傍迷惑で、害になることすらある。

こういうタイプの人間を苦々しく思っているヨーロッパ人も多い。かつて私がフランス語を習っていたとき、ベルギー人の女性が、こんな話をしてくれた。

彼女はベルギーで生まれ育ったのだが、父親の仕事の関係で、高校の途中からフランスに引っ越したのだそうだ。そして、フランスの高校に通い始めて面食らったという。ベルギーでは、授業中に先生が話しているときは、生徒は静かに聞くのが普通だ。ところがフランスでは、先生がまだ話し終わらないうちから、「自分はそうは思わない」などと、堂々と自分の意見を述べ始める。そんな生徒が大勢いるのだそうだ。しかもその「意見」には大した根拠などなく、自分が違うと思っているだけ。

同じような話をフランス人の若い女性からも聞いた。この人はソルボンヌ大学からエジンバラ大学に留学していた学生で、私の息子が中学生の頃、フランス語の家庭教師をしてくださった。あるとき私が、「エジンバラ大学にはフランス人の学生が大勢いるようですが、フランス人同士で集まったりすることがあるのでしょうか？」と聞いたところ、嫌な顔をして、こういったのだ。

「フランス人同士で集まる人たちもいるとは思うけれど、私は何人かの親しい女の子とときどき会うくらい。フランス人が集まるところには、まず行きません。だって、いつでも自信満々に自己主張する人が多いんですもの。特に男子はそうね。

授業中に質問したり意見をいったりすること自体はいいとしても、どうして大して知らないことに関して、あんな風に偉そうな発言をするのかしら？　本当にうんざりさせられるわ」

自分の意見を堂々という教育の罪

私も過去に、ある会社で次のような経験をして、非常に腹が立ったことがある。

ファンドマネージャーは証券会社に所属する多くのアナリストから企業分析のレポートなどを提供される。あるとき、それぞれのアナリストのどういう能力を評価しているのかを書いて提出することになった。あるアナリストに対する私の評価はこうだ――「このアナリストは、担当する産業セクターのビジネストレンドを読むことに非常に優れている」。

すると、これを取りまとめる立場にあった人物、事務方のマネージャーが、こんなことをいってきた。

「ビジネストレンド？　そんなもの、アナリストに教えてもらわなくても分かるじゃないか」

私はそれにこう答える。

「いま現在のトレンドではありません。ここから将来に向けてどういうトレンドが主流になっていくか、その読みが鋭いといっているのです」

すると、今度はこう返してきた。

「将来のトレンドだって？　そんな当てにならないものに基づいて投資をするなんて、あってはならないことだ。リスキーだろう」

……ため息が出た。繰り返すが、この人は事務担当である。その人が投資のプロであるファンドマネージャーに、投資のあるべき姿について自分の「意見」を力説しているのだ。

私もよせばいいのに、「リスクのないところには投資機会もありませんよ」と、さらに返す。この人も引き下がらず、さらに応酬してくる。「トレンドを読むことが優れた投資リターンに繋がるといい張るなら、証拠を提出してください」ときた。

証拠はそこいらじゅうにあるのだが、この人には理解できないだろうと思い、これ以上、時間を無駄にしないため、こんな提案をしてみた。「トレンドという言葉の代わりに、方向性という言葉ならよろしいでしょうか」。トレンドも方向性も同じような意味だが、私の目論見（もくろみ）どおり、「それならよろしい」との返事……要するに、何が事実か、何が価値を持つのかなど、どうでもいいのだ。こういう人にとっては、自分の意見を表明すること、そしてそれが尊重されること、それがすべてなのだ。

そんな経験をしてきた私は、自分の意見を堂々といえるようになる教育、などと聞くたびに、それはちょっと違うんじゃないかと思うのだ。要は、試験で答えられるように丸暗記するのではなく、森羅万象の意味を考えたり、他のこととの関連性を考えたりしながら学ぶことが大切なのではないか。そうして、きちんと整理された知識をもとに自分の意見を構築し、理路整然と表明できるようになる――このことが重要なのではないか。

「堂々と意見をいえる人」などと聞くと、その意見の中身よりも「堂々といえる」態度が能力として評価されているようで、私は居心地が悪くなる。ここまで述べてきたように、堂々といっていることの中身が役に立たない、あるいは害にしかならないことが、現実には結構多いからだ。

日本の巨大な損失とは何か

日本の学校で学んでも英語は身に付かないし、自分の意見も表明できるようにはならない、そんな理由で、幼いときから海外で教育するという親がいる。先述の通り、私はそれに賛成はしないが、大学レベルでは留学を勧めたい。

私が大学生の頃にも留学する人はいた。が、その数は少なかったし、ほとんどは一年休学して行っていたはずだ。しかし近頃は、交換留学制度がカリキュラムに組み込まれた大学も多いようで、留学するということが珍しくなくなっている。二〇歳前後に海外で生活し、大学で学ぶということは、自分の視野を拡げる良い機会になるだろう。羨ましい限りだ。

これとは別に、昨今耳にするようになったのが、海外の、特に米国の大学に、最初から正式に入学するというケースだ。東京大学を出たような親たちが、「東大なんか行ったって、世界では通用しない。世界ランキングで四〇位の大学なんかダメだ」などといって、子供たちを世界ランキング上位の大学に入れようとする。あるいは、子供時代を海外で過ごし、そのあと中学か高校くらいで日本に帰ってきたけれど、そこに馴染めず、海外の大学を目指すというケースもあるようだ。

海外の大学に進みたいと思う若者が増えているもう一つの理由を、最近、人材関連企業の役員から聞いて、私はなるほどと思うと同時に、危機感を覚えた。それは日本企業の雇用形態に関わること。日本では「就職」はなく、ほとんどの場合は「就社」をするのだということ。

これは過去のことなのではないかと、私は勝手に想像していた。しかし、ほとんどの日本企業では、状況は変わっていないらしい。確かに企業は選べる。しかし、その会社でどの部署に配属され、どのような仕事をするのかは、本人の希望では決まらない。理工学部で学び、最先端技術の開発に携わりたいとハイテク企業に入社しても、ことによると営業部に配属されるかもしれない。

「でも、個人の専門性が生かせないのでは、なんだかとても、もったいないですね」、そう私がいうと、その人は、「ただ日本では、大学を出ても、高度な専門性を身に付けているケースは少ないのですよ」という。

専門性が身に付くようなカリキュラムではないのか、それを身に付けても生かせないのが分かっているから身に付けようとしないのか……などと考えていると、その人はさらに、こんなことを付け加えた。

「だから最近、一流高校でトップクラスにいるような生徒が、東大ではなくハーバードを狙うようになったんですよ。アメリカの企業では職種も選べるでしょうし、報酬だってべらぼうに高い。どんなにずば抜けて優秀でも、日本では各年度の各社の大卒の初任給は、横並びで決まっているわけですしね。彼らにしてみたら、人の何倍も努力してきているのに、同じスタートラインに立たされるなんて、納得がいかないわけです。

初任給だけじゃないですよ。それぞれ企業には給与体系というものがあって、それはほぼ年齢や勤続年数で決まっているのですから。特別な貢献があれば多少はボーナスに反映されますが、これは大したウェイトを占めません」

私はここで、青色発光ダイオードの実用化で二〇一四年にノーベル物理学賞を受賞したカリフォルニア大学教授の中村修二（なかむらしゅうじ）氏のエピソードを思い出した。この発明に対し、当時の勤め先企業からもらった特別ボーナスは、たったの二万円だったというのだ。

こうしたこともあり、現在の優秀な若者は、海外の一流大学に進学して、高度な専門性を身に付け、英語もネイティブ並みに話し、自分の意見もいえるようになって、グローバル企業に就職、あるいは起業するということのようだ。

なんとも頼もしく、つい応援したくなるが、ちょっと、待って！　日本はどうなるの？日本のトップクラスの若者がみな海外に流出してしまったら、日本企業は大丈夫なのだろうか。日本企業にも良い点がたくさんあることを私は知っているが、この現象については熟慮する必要がありそうだ。

私は思う。ずば抜けて優秀な人たちを「ただの人」として迎えてはいけないのではないか。早い段階からはっきりと優遇し、特別なプログラムで育てるべきではないのか。日本でよく聞く台詞（せりふ）で、英国ではまったく聞いたことのないものに、こんなのがある。

「一流大学を出てるからって、実社会で役に立つかどうかは別だよね」

「勉強ができるのと頭がいいのとは違う」というのも英国では聞いたことがない。

一流大学の入試に合格したということは、一八歳時点での学力が同世代のなかでかなり上位にあったということで、こういう人は優秀な頭脳を持っている可能性が高い、そういってもいいのではないか。それに、過去の試験問題から出題の傾向を読み取ったりする能力や、それをもとに学習計画を立てる計画性、それを実行していく意志の強さなどが備わっているという意味で、社会に出たときにも優秀な人材となる可能性が高いのではないか。

「いい大学を出てたって、特に仕事ができるってことないよね」などといわれるのは、その人の優れた能力が生かせる仕事が与えられていないからではないのか。もしそうだとすると、日本の巨大な損失になっていることは間違いない。

日本の優良企業の人材選抜法

しかし心強いことに、新興の有望企業では、適材適所をビジネスの柱として真剣に考え、そして実行し始めている。

一〇年前から投資しているある企業の社長にお目にかかったときのこと。この会社はインターネット技術を駆使して医療・製薬分野へのサービスを提供するビジネスで、凄まじい成長を果たしている。私のファンドのなかでもトップパフォーマーの一つだ。既存のビジネスが成長を続ける一方で、次々に新規事業を興しており、そのためのM&Aも盛んに行っている。

私は、「こんなに会社の規模が大きくなって、かつ、これだけいろいろなことをされていますが、社長は日々、何を考え、具体的には何をなさっているのですか？」と素朴な疑問を口にした。すると社長は、以下のような内容を述べられた。

——次々に新しいことを始めるので、新たなポストが生まれてくる。そのポストにはどういう能力や性格の人が相応しいのかを、まずとことん突き詰めて考える。その次に、ではそういう能力や性格の人であることは、どんな風にテストしたら判別できるのかを考える。それが企業として価値を生み出していくために一番重要なことだ。そこに最もエネルギーを注ぐ。

私はしばし黙り込んでしまった。いわれてみれば、実に当たり前のことではないか。それでいて、ほとんどの企業では実行されていない。それがこの会社の強さの源泉なのだ。

最近、これにかなり近い話を、あるIT系新興企業の若い社長からも聞いた。心強い。こういう変化は少しずつ確実に起きている。そのムーブメントが大企業も含めて定着すれば、そこから大きな価値が生まれてくるのではないか。そうなると、大学教育も変わらざるを得ない。

こうしたことはビジネスに限らない。たとえば大臣を任命する際に、その職務に相応しい能力や性質を徹底的に考えたうえで任命しているだろうか。

東日本大震災の直後、復興対策担当大臣という極めて重要なポストに就いた人物が、甚大な被害を受けた県の知事に面会した際、労いの言葉をかけるどころか、自分より後から部屋に入ってきた知事を咎め、叱りつけたことがあった。このシーンを見た被災者の方々は、その傲岸不遜さがそのまま復興対策に反映されるのではないかと、きっと心細い思いをされたに違いない。

また、その後のこと。別の復興大臣は、記者会見で記者の質問に怒りを露わにし、退出の際には「うるさい」と叫んでぶちギレたことがあった。このときの記者の質問は、やや答え方に工夫がいるとしても、想定問答集に出てきそうなものだったので、答えが用意できていなかったほうが不思議だった。

私のような民間の一ファンドマネージャーでもメディアトレーニングを何回も受けているので、大臣のような国家の要職にある人は、もっと高度なトレーニングを受けているはずだが、実際のところはどうなのだろうか。このときは職務に対する適性も熱意も感じることができず、心が寒くなる思いだった。英国では絶対にあり得ないことだ。

さらに二〇一八年には、パソコンを使ったことがないという人がサイバーセキュリティ担当大臣になってトンチンカンな答弁をしたということもあった。国会議員の当選回数や所属派閥の事情など、能力以外の理由で大臣が選ばれているとしたら、とんでもないことだ。どんな人物が適任なのかをとことん考え、国会議員の持ち回りではなく、もっと広く民間から選んでも良いのではないか。

人文社会科学系の学問は不要か

ところで、大学で高度な専門性を身に付けた優秀な人材を優遇し、早くから特別に育てるのがいいと書いたが、大学卒業の時点になっても、自分には何が向いているのか、将来どんな分野に行きたいのか、それが分からないという人だっているだろう。かくいう私自身がそうだった。早くから自分の進むべき分野が明確になっている人は羨ましい。

先日、ロンドンのシティで、英国人の若いクライアントと朝食を食べていたら、彼がこんなことをいう。私が、「ファンドマネージャーになったのはバイ・チャンス（偶然の成り行き）だった」といったあとのことだ。

「僕はもう子供の頃から、大人になったら投資に携わる仕事をしようと決めていたんです」

子供の頃から？　なんでまた子供が、そんなことを考えるようになったのか？

「叔父がファンドマネージャーで、会うたびに、わくわくするビジネスの話をしてくれたんですよ。それにすっかり魅了されて、将来は僕も同じような仕事をするんだって、もう小学生の頃には決めていました」

身近なところにロールモデルがいたというケースだ。こういうケースはときどきあるのかもしれないが、私の場合、そういう人に巡り会うことはなかった。ファンドマネージャーとして生きて行こうと決意したのは、実際に仕事を何年もしてからのことだ。

それでは、私のような人は大学で何を学ぶべきか？　それはリベラルアーツだと思う。これは一般教養とでも訳すのだろうか。

前に書いたように、日本では基礎教育が優れているので、高校を卒業するまでに、地理、世界史、日本史など、ざっくりとは頭に入っている人が大半だ。これらを政治学、経済学、哲学、心理学、宗教学などに発展させて、さらに詳しく学んでいく。実際の仕事にそんなものは必要ない、などという人もいるが、あるとき「すぐに役に立つ知識とは、すぐに役に立たなくなる知識でもある」という言葉を聞いて、私は確信した。

二〇一五年、人文社会科学系の学問はあまり社会の役に立たないという理由で、国立大学にこれら学部の縮小を促すよう文部科学省が指示したと聞いて、どきっとさせられた。何か技術が身に付きさえすれば、教養など必要ないというのか？

国民の一般教養の高さが日本の強みだと思っていたので、これは絶対に間違っていると思った。日本の教育の良質な部分をさらに磨き、足りないところを補っていくという方向に向かうべきだろう。

好きなことだけやればいいのか

学生時代の職業体験は役に立つ。インターンシップやアルバイトなどを体験し、できるだけ社会を覗（のぞ）いてみるべきだ。

最近、東京で友人とお茶を飲んでいたら、「娘には、自分の好きなことだけをして生きていけばいいのよ、といつもいってるの」というので、とても驚いた。私は自分の娘にはその正反対のことをいっているからだ。「好きなことだけしていたら、本当に好きなことには出会えない」――これが私の実感なのだ。

若いときは自分がどういう人間なのか、まだ知らない。それが普通ではないか。私が度外れて遅いのかもしれないが、三〇代半ばくらいまでは、自分探しの日々だった。でも、ぶらぶら遊んで生きていたことはない。というより、生活のために働かなければならなかったので、大学を出てから常に仕事を持っていた。

そうして仕事をしていれば、自分から進んでやりたくはないことにも遭遇した。でも、無駄だったと思うことはない。いろいろ経験するうちに、「私は意外にも、こういうことが得意なんだな」などと、自分の適性について気付かされる。

私の場合、幼い頃から極度に内向的だったので、人と接することは苦手だと自分で決めつけていた。が、自分の役割が明確な場合、その役を演じているような感覚になれる。すると、人と接することが平気になり、それどころか楽しくさえなった。そのうちに私のことを明るく快活な人間だと思う人も現れ、ますます楽になった。

いまでは人と会って話をするのが大好きになり、一流経営者たちと会えるファンドマネージャーの仕事を天職だとさえ思うようになった。好きなことだけをしてきたら、私はずっと自分の殻に閉じこもったままだったと思う。

ただ、本来の性格というのはあまり変わらないのかもしれない。自分の役どころが明確でない場所、たとえばご近所のホームパーティーなどに呼ばれると、私はいまでも夫の蔭に隠れ、借りてきた猫状態だ。

日本企業に残る相当な成長余力

大学を卒業するまでに、自分の進路について、ある程度の方向性が見えてくるといいのだが、そうでない場合でも就職をして、働きながら関心のある勉強をするべきだと思う。

私が大学生の頃は、女性同士で「あなたは就職するの？」と普通に会話していた。就職しない人も少なくなかったのだ。「本当にやりたいことが見つかるまでは就職しない」などという人も多かった。悠長な話である。

だが、やはり私は、とりあえず就職したほうがいいと思う。社会に出て、多種多様な人に出会い、雑多な経験をして、だんだん自分がどういう人間なのかが分かってくるからだ。本来は月謝を払ってでもやるべきことなのだが、実際には給料をもらいながらできる。やらない手はないだろう。

そうしているうちに自分の興味、適性、能力がはっきりしてくる。その段階で、異動を願い出たり、別企業に移るなりすればいいのだ。また、起業という選択肢だってあるかもしれない。

「株式会社日本」全体として、こうしたことがスムーズに行えれば、その「企業価値」はどんどん上がるのではないか。

転職のコンサルティングなどは、今後、非常に重要な仕事になっていくような気がする。欧米では、転職をしながらステップアップしていくのが普通。ただ日本では、いままでも転職の多さはマイナスになるようだ。

もちろん二年ごとに転職していたら、さすがにヨーロッパでも、この人はちょっとどうかと思われる。が、一つのところで実績を挙げて次のレベルに進みたいとき、同じ会社にそうしたポジションがなければ、他社に移ってもいい。

あるときアウトプレースメント（ヘッドハンティングの逆のようなもので、リストラの対象になった人に、相応しい転職先のアドバイスや紹介を行うもの）のコンサルティング会社の人が、こう話していた。

——企業のなかで、本当に価値を生み出している社員は、平均で二五パーセントほどしかいない。五〇パーセントは可もなく不可もなく。また、残りの二五パーセントは価値を生み出すどころか毀損（きそん）している（必ずしもダメージを与える人ということではなく、報酬に見合った働きをしていないという意味だ）。ここで大事なのは、この価値を毀損している人たちが必ずしも無能な人間だというわけではないこと。要するに、適材適所になっていないのだ。この人たちが価値を生み出せる職場は十分にありうるので、そうした転職先を見つけることが主な仕事となっている。可もなく不可もない五〇パーセントの人の能力をアップするトレーニングもしている。

いろいろな企業を見てきて、つまるところ、ビジネスは人なのだ、と確信する。人材は「人財」ともいわれる。人は企業の財産だ。人をコストとしか見なさない企業は伸びない。いや、いつか滅びる。

神童をただの人にしないことも大事だが、凡庸（ぼんよう）な子供が長じてから優れた能力を発揮するケースも多い。欧米に比べ日本企業は人を大事にするということを私は知っているが、個人の能力は、まだまだ生かし切れていない。逆にいうと、多くの日本企業には相当な成長余力があると思われる。

第二章　日本人だからこそ英語が通じる

英語よりも日本語能力や教養を

日本で普通の学校に行ったのでは英語ができるようにならないと、インターナショナルスクールなど、外国人の子供のための学校に通わせる日本人の親が増えている。そう聞くたびに心配な気持ちになる。

日本の普通教育を受けさせず、外国人向けのカリキュラムで教育をして、それで問題はないのだろうか。普通の日本人として生まれ育ち、教育を受け（英語は一二歳で始め、留学経験もない）、その後、海外でキャリアを築いた者として、私の感想を書いてみたい。

前述の通り、私は日本の基礎教育は優れていると思う。もちろん、足りないところもある。英語が使えるようになれないことが、その代表格のようにいわれている。

では、外国人向けの学校に入って英語が話せるようになれば、それでいいのか？　平均的な日本語能力や一般教養は身に付くのか？

日本の正規教育を受けないのだから、デメリットが上回るのではないだろうか。単に英語の上達という観点で選んでいるとしたら大変だ。よくよく考えてから決めることを勧めたい。

さらなる驚きは、中学生くらいから英国の全寮制の学校に子供を入れるという日本人が増えていること。まるで新興国のようだと私は感じる。

先進国並みの教育制度が整っていない国では、エリート層や富裕層が、こぞって子弟を欧米のエリート校に行かせるのは普通のことだし、致し方ない。だが、先進国たる日本には、立派な教育機関が、しかも無償か低額で揃っているではないか。

単一言語世界の悪癖

そんな日本人の多くは、来日中の外国人にうまく説明してあげられなかったりすると、英語ができなくてごめんなさいね、という感じになる。日本に住んでいて、日常生活ではまったく英語など必要としない人が話せないのは当たり前。謝る必要など皆無なのだが、そういう風に感じてしまう日本人という「人種」は、そもそも謙虚な人が多いのだろう。

実は英国人も、日本人と同様、外国語に堪能（たんのう）な人は滅多にいない。学校で（最近では小学校から）外国語の授業があるが、ほとんどの人はまったくしゃべれない。日本人との違いは、そのことにぜんぜん引け目を感じていないということである。英語が国際語だから、といわれてしまえばそれまでだが……。

日本人には、普通、世界にはいろいろな言語があるという意識がある。が、英国人の多くは世界をそのようには感じていないようで、ときどき唖然とさせられる。

かつて、一緒に働いていたスコットランド人のファンドマネージャーに、「さっき会ったアナリストのXXさんがこんなことをいっていた」というと、「XX？　何それ？」と怪訝そうに聞き返してきた。「アナリストの名前ですよ」と答えると、「そんな名前などない」と断言する。私は「彼は韓国の人なんですよ」といい返したが、「何人であろうと、そんな名前があるはずがない」とさらに断言する……これ以上いっても無駄なので、私はそこで話すのをやめた。

これは極端な例だが、別の英国人と話していて（この人はごく真っ当な人なのだが）、ある日本人の女性の名前を出したら（日本ではごく普通の名前なのだが）、「まあ、ずいぶん変わった名前なのね」といわれたこともあった。

また、以前に勤めていた会社の日本株チームのミーティングで、私が「ノーリツ」を訪問したら、こんな話をしてくれた、というようなことを話し始めると、英国人のチームメイトたちが、一様に「え？　なんの会社？」というので、「ガス機器の会社よ」と答えると、一斉に「あー、ノリッツのことね」……そこまではいいが、そのうちの一人がなんと

「何年経ってもジャパニーズアクセントが抜けないんだね」と笑うではないか！

実はノーリツは、英語の社名を、外国人でも発音しやすいように「Ｎｏｒｉｔｚ」と表記している。それ自体には意味がないのだから、「日本語の変形なのだろうな」くらい想像がつきそうなものだが、「モノリンガルワールド（＝単一言語世界）」の住人は、そんなことはまったく考えない。

また別のときには、コールセンタービジネスについて話をしていて、私が「日本の場合は、英国のコールセンターと違って、インドに移ってしまう心配はないですからね」というと、英国人の同僚が、「なんでそういえるんだ、数年のうちにインドに移っているかもしれないじゃないか」と、むきになる。そこで「インドには、日本語が話せる人がどっさりいるわけ？」といい返すと、しばらくぽかんと口を開けていた。

そもそも、と私はよく思ったものだ。米国株担当にもかかわらず英語を話せないファンドマネージャーがいたら、顧客はその人物が運用するファンドに投資するだろうか。答えはノーなのではないか。ところが、海外で日本株を担当するファンドマネージャーの多くは、「モノリンガルワールド」の住人なのである。

しかし、そこは強（したた）かな西洋人である。英国人の顧客が、私に「日本語ができるのは、やはり日本株投資では圧倒的に有利なんでしょうね」といってくれたときのこと。隣にいた私の英国人の同僚が、すかさず「ファンドマネージャーの仕事は企業分析であり、語学の能力は関係ありませんよ」といったのだ。その顧客が、「でも、あなたも日本語を話すんでしょ?」と聞くと、彼女は「流暢ではありません」と答えた……実際は、まったく話せないのに。

「流暢ではありません」は、まあ嘘ではない。しかし、いくらなんでもミスリーディングだろう。語学力は関係ないといい切ったあとなのだから、「まったく話せません」と、堂々といってほしかった。

そう思いながら、私は彼女の強気な横顔をまじまじと見つめていたものだ。「こういう人って、日本では出会わないなあ」と、しみじみ思いながら。

英語が下手でも経済学の実力で

インターナショナルな場面では、共通の言語が英語なので、英語が苦手な日本人は不利なのかもしれない。ただ、中国人があまり上手ではない英語でも物怖じせずに積極的に発言している様子を見るにつけ、言葉の問題ではないような気もしてくる。

米国のイェール大学名誉教授で、安倍晋三首相に任命された内閣官房参与、経済学者の浜田宏一先生は、『グローバル・エリートの条件』という非常に興味深い本を書いておられる。このなかで浜田先生は、日本は減点主義、グローバル基準は加点主義だ、とする。私はなるほどと思った。これで説明がつくことが多々ある。

先述の通り、日本では大学生が就職活動に同じ格好をして行くことに対し私は不思議に思ったが、みなと同じなら服装で減点される心配がない、そう考えているのならば理に適う。自分の意見を表明して評価されず減点になるのなら、発言しないほうが有利だ、ということにもなる。しかしグローバル基準では、発言しなければ零点なのだ。そのことに気付く必要があるだろう。

ただ、間違った発言でも沈黙よりはいい、となってしまうと、これはフェアではない。特に大した意見もいえないのに、他者に対して建設的でない批判を繰り返す輩がいるからだ。そんな発言なら、当然、減点されるべきである。

発信すべきことを持っていることこそが大事なのではないかと、浜田先生の担当編集者はいう。この編集者がいうには、浜田先生の英語は、お世辞にも上手ではないらしい。ときにはインタビューの相手から、「エクスキューズ・ミー」「パードン・ミー」「セイ・アゲイン」などと、三連発で聞き返されるとのこと。しかし、浜田先生から引き出したい論考があるからこそ、相手は何度も聞いてくるのだ。つまり、語学力より専門力なのである。

先述した「意見なし反論だけ人間」など、いくら英語を流暢に話したとしても、相手から質問が返ってくることなどないだろう。「聞くだけスルー」である。

このように、あなたが発信すべきことを持っていれば、そのとき語学力はあまり重要ではなくなる。であれば、幼稚園児や小学生に英語を教えるよりも、日本の文化や歴史や文学を教えるべきではないのか。後述するが、実はいま、「日本人であること」自体がアドバンテージになるのだから。

また、みなが真剣に耳を傾けている場で発言するのなら、あなたの英語はずっと伝わりやすくなる。当然、英語が完璧である必要などない。

日本人にしか見えないことを意識

米国の巨大企業で日本人として初めて副社長にまで出世し、その後、日本企業のトップに就いた人とお話しする機会があった。新聞のインタビュー記事には、「米国の大学のデイスカッション形式の授業では、初めの頃まったく発言できずに悔しい思いをした。が、そのうちにがんがん発言できるようになった」というようなことが書かれていた。

そこで、「一体どういう風にしたら発言できるようになったのですか？　私はいまだにフリーディスカッションみたいな場では気後れしてしまいますが」と、半分は自分のために伺ってみた。

このときの答えは本当に実用的なものだった。これを意識すれば本当に発言しやすくなるので、ここにそのときの会話を紹介しておきたい。

「そういう場では、日本人はあなた一人？」

「そうですね。会社にはいろいろな国籍の人がいますが、ほとんどの場合、日本人は私一人です」

「じゃあ簡単だ。何かについて話し合っているとき、それがなんであれ、日本人であるあなたにしか見えていないことというのが必ずある。それを意識して発言してみるのです。そうしているうちに、この人はいつも人と違うアングルから良い発言をする人だ、と思われるようになる。そうなったらしめたもので、だんだん周りの人が、あなたにもっと喋（しゃべ）らせようと話を振ってくれるようになる。すると、ますます発言できるようになる、というわけです」

ここでは、「日本人であるからこそ発言できるようになる」というところがポイントだ。ただ発言することが平気になるのではなく、価値のある発言ができるようになるための素晴らしいアドバイスだと、私は思う。

二人の外相のスピーチの大違い

「十で神童、十五で才子、二十歳過ぎればただの人」という。私も若い頃は、ふうん、まあ、世の中そんなものなのだろう、本当に特別ずば抜けて優秀という人はそうそういないもので、子供の頃、人より発達が早めの人は神童だ天才だともてはやされるが、大人になってみればほとんどの人は普通なんだ、と思っていた。

しかし社会に出て長年働いてみて、時に、ずば抜けて優秀だと思われる人に出会うことがある。すると、日本社会がみすみす神童や天才を「ただの人」にしてしまっているのではないか、と考えるようになってきた。

日本の基礎教育は優れており、日本では、その「ただの人」のレベルが非常に高いと前に書いた。これは本当にその通りだ。が、いわゆるエリートのレベルとなると、残念ながらら大きなクエスチョンマークが付くのではないか。

このことに関して、私は、かなり象徴的でかつショッキングな場に居合わせたことがある。民主党政権のときのこと、ある外資系証券会社が東京で主催した投資フォーラムで、当時の外務大臣がスピーチをした。それは、このフォーラムの目玉の一つであった。

現役の外務大臣の話がライブで聞けるとあって、広い会場は超満員だ。日本の若くハンサムな外務大臣は、世界中から集まった投資家たちに対し、何を語るのだろうか? 壇上に登って行く彼を、みなが目を輝かせて見つめている。

大臣は英語で話し始める。原稿に目を落としながら。でも、できるだけ前を向いて話そうとする。が、そのうちに原稿から目が離せなくなってきた。そして頻繁(ひんぱん)につかえるようになり、一語一語をやっと拾っているようになる……これでは「いうだけ番長」ではなく、「読むだけ番長」だ。

本人が動揺しているのも明らかだった。だんだん顔が紅潮してくる……私はふと、大学の教養課程の英語の授業で教室に座っているような錯覚を覚えた。ときどき、こういう学生がいて(ほとんどの場合、男子だ)、私が「よくこれで入試に受かったなあ。英語以外の外国語で受験したのかしら」なんて思っていると、教師が「予習してこなかったね。もうぃい、座りなさい」と告げ、なんとも気まずい空気で教室が満たされる。

このときの私も、なんだかいたたまれなくなってきた。みんなはどう思うだろう。日本はレベルが低いと思うだろうか？　こんな国に投資などできないと思うだろうか？　周りを見回すと、なんのことはない、みなとっくに聞くのをやめて、次のミーティングの準備をしたり、メールをチェックしたりしている。誰も聞いてはいない。私もこのときの外務大臣のスピーチの内容を、まったく覚えていない。

ここでの問題点は何か？　英語力というよりもまず、伝えたかったこと、にあるのではないか。米国、ヨーロッパ、アジアの国々から集まった何百人もの人たちを前に日本の外務大臣として伝えたいこと、あるいは思い——そもそもそれを持っていなかったのではないか。

仮に伝えたいことがあったとしよう。であれば、なぜ英語の通訳を使うという選択肢を採らなかったのか。おそらく、外務大臣たる者、英語でスピーチするべきだという点にこだわったのだろう。

まあ、それはそうだと思う。国際的に活躍するうえで英語が完璧である必要はないと書いたあとだが、外務大臣は別だろう。日本国を代表して外交を担うのだから、英語も高度なレベルで駆使できることが必要とされる。そもそも外務大臣は超エリート、ずば抜けた教養、交渉力、語学力を持つ人が就くべきポジションだ。

もちろん、英語のスピーチが下手だから外務大臣としても無能だなどというつもりは毛頭ない。が、こういう場で聴衆を惹き付けることができない人が、外交手腕に秀でているとは、ちょっと考えにくい（ここで付け足すと、実はこの直後、この大臣は、外国籍の知人からの献金問題で辞任した。もしかすると、既に引き受けてしまったからスピーチをしたものの、「心ここにあらず」の状態だったのかもしれない。そう考えると、ちょっと気の毒でもある）。

実はこの同じ投資フォーラムで、安倍晋三内閣の外務大臣、河野太郎氏が、同様にセミナーを行った。当時の河野氏は野党の一国会議員だったので、会場も現役の外務大臣に用意されたものより遥かに小さく、参加者の数もずっと少なかった。だが、スピーチの内容は格段に優れたものだった。

原稿は用意されているようだったが、英語が完全に自分の言葉になっており、聴衆に熱心に語りかけていた。その後の質疑応答でも率直な受け答えを見せ、会場全体にポジティブな一体感のようなものが生まれていた。単に英語が上手という話ではない。一人対大勢というセミナー形式であるにもかかわらず、それがきちんとしたコミュニケーションの場になっていた。それに私は感動した。こんなにも優れた政治家がいるのだなと、私は心から嬉しく感じた。

話が上手な人が優れた政治家だといいたいのではない。コミュニケーション力がリーダーシップの重要な条件の一つだ、と指摘したかったのだ。コミュニケーション力というと何か技術的なスキルであるかのように思いがちだが、むしろ「伝えたい何か」があるかどうかなのではないか。ぜひ相手に理解してもらいたい、そんな熱い思いこそが出発点となると思う。

ソニー創業者の英語力は

ところで突然話を変えるようだが、世界で有名な日本人を挙げると、誰になるかご存じだろうか。

映画監督の黒澤明氏は、現在でも超有名な日本人だろう。安倍晋三首相やオノ・ヨーコさんか？　横綱の千代の富士も現役時代は大人気だった。

ビジネスの世界で世界的に有名な人物というと誰か。ソフトバンクの孫正義さんはまあまあ有名だが、それ以外では？　現在の海外での知名度となると、ちょっと……しかし、忘れてはならない凄い人がいる。ソニー創業者の盛田昭夫さんだ。いまでも世界中で記憶され、尊敬されている日本人だと思う。

日本のビジネス誌で、こんな話を読んだ。三〇年以上前、日米貿易摩擦が大問題となり、米国で対日感情が悪化していた時代のこと。盛田氏がマサチューセッツ工科大学（MIT）の学生たちを前に、ソニーの創業やウォークマンの誕生にまつわるワクワクするような話を披露した。そうしてイノベーションの大切さを熱心に訴えたのだ。

この盛田氏の話は学生たちの心を打った。最後は総立ちになり、拍手が鳴りやまなかったそうだ。

しかし当の盛田氏は、実は英語の達人というわけではなかった。それどころか、本書の担当編集者は米国のテレビで、インタビューに答える盛田氏の英語に対し、画面上に英文テロップが流されるのを見たことがあるそうだ。平均的な米国人には理解できない発音や文法だったからかもしれない。

このことからもやはり、英語が流暢に話せることとイコール国際的に影響力のある人物ということにはならないのが分かる。

普通の日本人であることが強みに

あまりにも偉大な盛田氏のことを語ったあとで一介の勤め人に過ぎない私自身のことを引き合いに出すのは不釣り合いかもしれない。だが、私の強みについて、運用するファンドのプレゼンテーション資料には、こんな風に書いてある。

「チサコ・ハーディは、日本で生まれ育ち教育を受けた日本人です。成人したあとに英国で生活するようになり、日本株担当のファンドマネージャーとして、長期にわたりキャリアを積みました。日本企業の経営者とのコミュニケーションにおいて、言葉や文化によるギャップがまったく存在しません」

つまり、普通の日本人であるということが私の強みだ、といっている。

私が幼いときから英国の寄宿学校に行っていたら、普通の日本人にはなれなかった。東京のインターナショナルスクールに行っても同じことだろう。英語は完璧になったかもしれないが、インターナショナルな環境で仕事をする際に差別化できる材料、「普通の日本人であること」が欠けてしまったはずだ。

「普通の日本人であること」がインターナショナルな場での強みとなる——これは長年、

海外で仕事をしてきて、私が確信するに至ったことだ。将来、海外に出て活躍したいと思っている日本の若い人たちには、ぜひ思い切り日本人らしくなることを、心からお勧めする。

子供時代の大部分を海外で過ごし、見事にバイリンガルでバイカルチュラルになっている人が知り合いにもいる。私はかつて、そういう人たちが羨ましくてしかたがなかった。こういう人たちにはインターナショナルな場面で絶対に敵（かな）わないと思っていた。が、先に書いた理由で、海外で働いている私には「普通の日本人であること」が一番の強みになっている。

バイリンガルやバイカルチュラルに育った人には、やはりそれゆえの大きなアドバンテージがある。しかし、そのアドバンテージはむしろ、日本にいてこそ生かせるのではないか。

私が強調したいのは、「普通の日本人では国際社会で通用しない」という勘違いに基づき、子供を不自然な形で「欧米化」すると失うものが多い、ということ。ぜひ、その点を考えて欲しい。

日本人が英語を操るためのヒント

国際的に活躍するために最も大切なことは英語力ではない、と書いた。英語がぺらぺら話せれば国際人になれるわけでもない。しかし英語を使えれば、国際社会でのコミュニケーション力が格段にアップすることは事実だ。

海外で活躍する日本人アスリートは大勢いるが、彼らの語学力は相当なものだという。サッカー選手でRCストラスブール所属のゴールキーパー、川島永嗣(かわしまえいじ)選手など、数ヵ国語を操ると聞いた。必要に迫られて勉強したということもあるだろうが、語学力があるからこそ外国チームへの移籍が容易になるという点も指摘できるだろう。

では、普通の日本人は、どうしたら英語が話せるようになるのだろう。私は中学に入って初めて英語を習い始め、海外留学の経験もなかった。その後、ロンドンの英国人ばかりの職場で働き始めたときには大変な苦労をしたが、なんとか英語で仕事も生活もできるようになった。そのため、参考にしていただけることがいくつかあると思う。

まず、日本人が英語下手な理由として挙げられることの一つ、一二歳から習うのでは遅すぎる、という説がある。何を根拠にそんなことをいうのか、私には分からない。むしろ私には、一二歳という年齢は、外国語を習い始めるには最適な年齢だと思えるのだが。私は語学教育の専門家ではないのだが、私自身の英語学習の経験と、息子がスコットランドの義務教育修了レベルの試験の準備をしていたときの苦手科目、フランス語を二ヵ月ほど特訓し、Aを取らせた経験などをもとに、私見を述べてみたい。

さて、「一二歳では遅すぎる説」の根拠はなんなのだろう。日本人のほとんどは、中学・高校と六年間も英語を学ぶのに、実際に英語が使いこなせる人は少ない。そして、この六年間は一二歳からの六年間なので、「一二歳では遅すぎる説」がまことしやかに囁かれだしたのではないか。

では、何歳から始めれば話せるようになるというのか……一〇歳か、六歳か、三歳か。実は、かなり昔から、日本の私立小学校では英語を教えてきた。

私は幼稚園から高校まで一貫教育を行う東京の私立女子校に、中学から入った。同級生の半分は小学校からその学校に通っており、さらにその半分は幼稚園から。つまり、小学校あるいはさらに早く幼稚園から英語を学んでいる生徒たちだ。

しかも、この学校は修道院併設のカトリックの学校なので、英語のネイティブスピーカーたる外国人のシスターたちが英語を教えていた。幼くしてネイティブスピーカーから英語を習い始める、いってみれば理想の環境ではないか。

日本が国を挙げて目指していることが、すでに何十年も前から、この学校では行われていた。では、この恵まれた英語教育環境で育った子供たちは、みな英語力に秀でた日本人になっていっただろうか。答えはノーだ――。

この学校では、中学一年時点で初めて英語に接する生徒と、既に数年にわたり勉強してきた生徒とは、別々に英語の授業を受ける。が、中学二年からは一緒になる。この時点で、既にその差は、かなり縮まっている。そうして中学三年になる頃には、差はまったくなくなる。

幼稚園から英語を習っていても苦手な子もいる。中学一年で初めて習い始めたのに、英語が得意科目になる子もいる。こんなことが、どうして起こるのか？　常識的に考えれば分かる。

英語を幼稚園から習い始めたといっても、英語に触れた時間は中学入学までに、どれくらいあっただろう。一方、中学から習い始めた生徒でも、英語が好きになれば、授業以外でも、自宅で音読したり、文章を暗記したりする。すると英語に触れる時間は、あっという間に、「幼稚園組」を追い越すはずだ。加えて一〇代なら、その充分に若く柔軟な頭に、英語がどんどん染み込んでいく。

教材の聞き流しだけで流暢に？

自分の日本での英語学習歴を振り返ってみて、英語力が短期間に格段に向上した時期が二回あると考えている。一つは大学の受験勉強をしている時期、もう一つは大学を卒業してから英検一級を受験したときだ。

受験勉強など本当の勉強ではない、試験に受かるために短時間に知識を詰め込むだけの空しいこと、などという人もいるが、私は同意しない。自分が受験勉強をしたのは三回、大学入学試験、英検一級試験、日本証券アナリスト協会の検定会員になるための試験（通称：証券アナリスト試験）だ。

そのうち最も大変だったのは、証券アナリスト試験。既に英国の生命保険会社の運用部門で働き始めていたが、この試験に受からなければ、アナリストやファンドマネージャーにはなれなかった。経済学の他に、私がそれまでまったく勉強したことのなかった会計や財務諸表分析、あるいは数学の世界ともいえるポートフォリオ分析などの科目があった。初めて過去の試験問題に目を通したときには、その場で卒倒しそうになった。

私にはとても無理だわ、そう思ったが、受験して資格を取らなければならない。生活がかかっていたからだ。しかし、そういう状況に追い込まれると、人間は強い。分からない、頭に入らない、などといっている余裕はなく、分かる人に分かるまで教えてもらった。

この受験勉強をしたおかげで、実に多くのことを短期間に学ぶことができた。と同時に、長年引きずっていた数学に対する苦手意識を克服することもできて、自信に繋がった。資格を取り、晴れてファンドマネージャーとしてのキャリアを築き始めることもできたし、得たものは非常に多かった。試験という明確な目標があると、緊張感を持って勉強できることも確かだ。

だから、よく目にする「ただ聞き流しているだけでネイティブ並みになる」とか、「三ヵ月で英語を話せるようになる」などという英会話教材の広告は、まったく信用していない。

ところで「三ヵ月で英語を話せる」とは、一体どのくらいのレベルを指すのだろうか？なかにはビジネスマンの体験談として、それまで英語がまったくできなかったのに、この教材を使ったら、米国でのプレゼンテーションや質疑応答も楽々こなせた、というのがあった。私は吹き出してしまったが、まあ信じられないようなことが、この世にはときどき起こる。完全なる嘘だと決めつけるのは控えよう。

「三ヵ月」というのは、何年もかかるのではやりたくないが三ヵ月ならやってみようかな、と多くの人に思わせる最適期間なのだろう。赤ちゃんが言葉を覚えるように自然に学ぶ、というコピーもときどき見かけるが、成人が赤ちゃんと同じように言葉を覚えるというのは、私にはどうしても奇妙に聞こえる。

もちろん、こうした教材を使って勉強し、海外旅行で現地の人と話ができたら嬉しい、そんなケースもあるだろうから、一概に否定しない。ただ、ビジネスのプレゼンテーションと質疑応答の件は、どう考えても無理だと私には思える。絶対と付け加えてもいい。

ヨーロッパの投資家の英語は

そもそも「英語を話せるようになる」とは、一体どのような定義になるのだろう。「日常会話程度」という言葉をよく聞くが、英国に暮らし始めてすぐに思ったのは、日常会話が一番難しいということ。仕事の場で必要なコミュニケーションをとることは、割とすぐにできるようになる。が、近所の人とのちょっとした立ち話などというのが、実はよほど難しい。

　私も英語が話せるようになったつもりでいたが、数年前、まだまだだなと思わされる出来事があった。それは同時に、英語力よりも話す内容が大切なのだという真実に気付かせてくれることにもなった出来事なのだが。

　勤め先で二〇〇人ほどの顧客を招待し、投資フォーラムを開いたときのこと。社内各分野のスペシャリストによるセミナーがあったのだが、それだけでは少し退屈かもしれないということで、一つの余興を用意した。余興といっても、もちろんビジネスに関すること。それを「ドラゴンズ・デン」と命名した。

　これは、テレビの人気番組のタイトル。毎週、何人か、これから事業を起こしたい人が出演し、それぞれが四人の投資家を前に自分のビジネスアイデアを披露、出資してもらうことを目指すというものだ。もちろん、起業家も投資家も本物で、一種のリアリティショーである。

　投資フォーラムでの余興はこれを模し、四人のファンドマネージャーが、それぞれ自分のファンドの魅力を投資家に語る。そうしてファンドに投資したいと思った人の数を競うものだ。私もそれに出てみないかと誘われた。

前年にも同様なことを行っていた。そして、優勝者のファンドには、その後、実際に数多くの人が投資した。ファンドのサイズも二倍になった。それを知っているので、私は俄然やる気になった。

はい、出ます、と即答。前年の優勝者はグローバルバイオテックファンドの女性ファンドマネージャーだったのだが、彼女も出場するという。

この人物に対しては、業界の英国人女性にしては珍しく物静かで控え目だと、好印象を抱いていた。「彼女と一緒に出場するのよ」と、私が社内で何人かの人に話すと、みな一様に、「彼女は手強(てごわ)いよ。競争心の強さがちょっと半端(はんぱ)ではないからね」と口を揃える

……へえ、そうなのか、人は見かけでは分からないものだ。

その他の出場者は、グローバル小型株ファンドのマネージャーとラテンアメリカファンドのマネージャー。この二人は男性で、私以外はみな英国人である。

まず壇上で、一人ずつ自分のファンドについて数分、話をする。会場に集まった人たちが、その後、手元の投票機で投資したいと思ったファンドに投票する。結果は即、スクリーンに映し出され、最下位の人は自分の椅子を持って舞台を降りる。そんな、かなり屈辱的なアレンジメントだった。

大事なイベントではあるが、社内で行うものだし、メディアの取材も入っていないので、私はそう深刻にとらえていたわけではない。ところが当日の朝、女性の洗面所に行くと、バイオテックファンドのマネージャーが真剣な表情で化粧を点検している。いつもは化粧っ気もなく服装も地味なのに、朝一番に美容院に行ってきたようで、セミロングの髪がゴージャスに整えられ、赤いワンピースドレスを着ている。また、私と同じくらいの身長なのに、この日は一〇センチも高い。ハイヒールを履いてきたのだ。

……なるほど、競争心が強そうだ。彼女は名門ケンブリッジ大学の卒業生でもある。

最初に舞台に並んで立ったとき、普段より一〇センチ背が高くなった彼女と、もともと長身のグローバル小型株ファンドのマネージャーとの間にいた私は、突然、自分の体が縮んだような奇妙な感覚を覚えた。

三人はそれぞれ真剣そのもので、自分のファンドについて熱く語った。私はプレゼンテーションすることには慣れているが、社内の他のファンドマネージャーのプレゼンを聞く機会は少なかったので、なかなか興味深く聞くことができた。

そうして、いよいよ投票である。スクリーン上の四本の棒グラフが伸び始める。グローバル小型株ファンドが圧勝、次がグローバルバイオテック、ほんのわずかに下回って私のジャパンファンド。最下位だったラテンアメリカファンドのマネージャーが、椅子を持って舞台を降りる。

私が自分の英語力の限界を思い知ったのは、そのすぐあとのこと、質疑応答の時間だ。暗記して練習できるプレゼンと違い、質疑応答については、完璧に準備してくるのは不可能だ。これは誰それに、と指名しての質問もあれば、三人全員に、という質問もある。

こういうとき英国人は、本当に積極的に、次々と手を挙げて質問をする。しかしヨーロッパ人がみなそうかというと、そんなこともない。

私は、ウィーンとチューリッヒでも大勢の投資家を前にプレゼンテーションをしたことがあるが、質疑応答では、あまり手を挙げる人がいなかった。これは、オーストリア人やスイス人が英国人に比べて大人しいということもあるが、英語のネイティブスピーカーではない、ということも影響していると思う。それを見越して、あらかじめ会社のドイツ人営業マンたちが顧客に混じって座り、それぞれ手を挙げて質問していた。

英語より日本語ができたほうが得

さて、私の話。質問を落ち着いた様子で受け、惚れ惚れするほど見事な英語で答える同僚の二人を見ていて、「英国人って英語が上手だなあ」と、当たり前すぎることを考えていた。英国人というより、教育レベルの高い英国人というべきなのだろう。

この場合、英語が上手だということは、どう定義したらいいのだろう。使いこなせる語彙の豊富さ、表現の的確さ、説明の深さ、声の抑揚、間の取り方……プレゼンテーションやミーティングでは、私も英国人の同僚と遜色ないつもりだったが、ここではあまりに明白な実力差を思い知らされた。私の英語は稚拙だ、とため息が出た。

ところがだ。質疑応答が終わり、再び投票が行われる。「ではこの時点で、どのファンドに投資したいと思いますか」……最初の投票で圧勝したグローバル小型株ファンドが今回は断トツの最下位、グローバルバイオテックファンドとジャパンファンドがほぼ同点だった。

最後は女性同士の一騎討ちだ。「二分ずつで、投資家の皆さんに、自分のファンドに投資するよう、最後の説得をしてください」となった。ここまで来られれば、イベントとしては上出来だ。が、私は、どうしてもこの機会に、投資家の方々に伝えたいことがあった。

それは、ジャパンファンドに投資したら絶対に資産を増やせるということ、そしてその自信である。まだ日本にネガティブなイメージを抱いている英国人投資家が多いことが、本当に残念だったのだ。みすみす素晴らしい投資機会を逃している。

ただコンプライアンス上、「絶対に儲かる」という言葉を使うことは許されない。それならば何というべきなのか……グローバルバイオテックのマネージャーが最初のプレゼンの主要なポイントを繰り返し述べるのを聞きながら、自分の話をどう締め括るか考え続けた。そうして日本株の魅力を再度、確認したあと、こんなことをいって終えた。

「実は、今月、ボーナスが出たんです。私はこれを全額、最後の一ペンスまで、迷わず自分が運用しているこのジャパンファンドに投資しました！」

すると、会場は爆笑と拍手に包まれ、最終投票は、私の圧勝となった。笑い声が起きたのはちょっと想定外だったのだが、私があまりに必死の形相だったからかもしれない。

海外で仕事をするためには、相当な英語力が必要となる。だが、英語は私たち日本人にとっては外国語なので、ネイティブスピーカーで、かつ教育レベルの高い人には敵わない。しかし、だからといって必ずしもそれが仕事上、不利になるわけではない。それに気づいた象徴的な出来事だった。

いや、考えてみれば不利にならないどころではない。英語を母国語とする人にとって最も難しいといわれる言語の一つ、日本語ができるのだから、むしろこちらに分があるのではないか。

日本生まれの英語の達人の勉強法

さて、どうしたら英語が話せるようになるか、ということに話を戻す。よくいわれることに、「文法や読み書き中心の学習からコミュニケーション中心に移行すべきだ」というのがある。

こういうことを聞くたびに変だと思うのは、まるで、文法や読み書きがコミュニケーションと対立する概念であるかのようにいわれていること。文法が悪者扱いされるのも、私には我慢できない。

文法は大事だ。たとえば、まったく知らないスポーツを観戦するときにだって、ルールをざっと予習していたら、そこそこ楽しめるだろう。赤ちゃんではない人が学校で外国語を学ぶ場合、文法を習えば効率的に学習できると思う。そして、たくさんの例文に触れながら学ぶといいだろう。

また、「日本人は読み書きはできても上手に話せない」という話も聞く。が、英語に限らず外国語で読み書きができるようになるなど、簡単なことではない。大変な努力によってのみ達成できることだ。英語でコミュニケーションができない人の大半は、読み書きも苦手なのではないだろうか。

「日本人は六年間も英語を勉強するのに」などというが、実は英語の勉強に費やす時間が圧倒的に不足しているのではないか。平均的な日本人の子供は、年間、何時間くらい英語の勉強をしているだろうか。コミュニケーション重視とやらに変えたとして、そもそも充分な勉強時間を作れるのだろうか。

日本で生まれ育ち、それほど海外生活が長いというわけでもないのに、本当に英語が上手な人がいる。そういう人に、どうやって英語を学んだのか聞いてみると、「大学を卒業してから、半年なり一年なりの期間、朝から晩までフルタイムで勉強をした」という答えが返ってくる。

また、ある企業の中国人社長にお会いしたときのこと。この社長は中国で生まれ育ったのに、日本語を見事に操る。どのように勉強したのか聞いてみたところ、やはり同じ方法だった。日本に来る前の一年間、フルタイムで日本語を勉強し、まったくのビギナーから、読み書きも含め、ほぼ完璧なレベルまで到達したという。

三ヵ月間、教材を聞き流していただけですよ、などと答えた人には、私はまだ出会っていない。

スコットランドの外国語教育は

私の息子のフランス語学習のケースに触れたい。

スコットランドでも、かつて外国語は中学から勉強をスタートしていた。が、中学では遅すぎる、だから外国語が下手なのだと、どこかで聞いたことのあるような議論があり、小学校から始めることになった。しかし、その効果は、ほぼゼロだ。

息子の場合も、それこそ小学校五年生からフランス語を習っているのだが、あまりに上達しないので、ハイスクールに入ってからは家庭教師を付けた。が、それでもダメ……箸（はし）にも棒にもかからないとは、このことなのか。

その息子は、いわゆる理科系の頭を持つ。文系の科目が一般に苦手だったが、とにかくフランス語の成績が比ぶべくもなく悪かった。義務教育修了レベルのスタンダード・グレードというスコットランドの共通試験には外国語が含まれ、この成績は大学進学にも影響する。理科系に進むのだから外国語なんかできなくてもいい、などといっていられないのだ。

　私は特に教育ママだというわけではないのだが、それでも頭を抱えた。考えたあげく、試験二ヵ月前の時点で決心した。私が特訓を施そう。

　私はフランス語が堪能(たんのう)なわけではない。ただ中学高校時代にフランス語の授業を受けていた。その後、大学一年の教養課程でフランス語を選択し、実用フランス語技能検定試験(仏検)の二級も取っていた。その後は趣味で第二外国語の勉強をする余裕などなかったのだが、フランスの会社に就職したのを機に、勉強を再開していた。

　趣味のレベルだが、さすがに息子よりは遥かに上。まず、過去の問題をすべて入手した。試験に準拠しているような教材もすべて入手。毎日、朝食が終わったら、そのまま席を立たずに三〇分、勉強することにした。テーブルから逃がしたら最後、連れ戻すのに一苦労だからだ。

　すると、「なるほど、苦手とは、こういうことをいうのか」と、つくづく思い知らされた。勉強したあと、「じゃあ、これとこれを明日までにしっかり復習して、あと、この動詞の活用をしっかり覚えてね」などといっても、できたためしがない。一人では何をどうすればいいのか分からないのだ。

そこでやり方を変えた。もう、自分では何もしなくていいことにして、その代わりに夕食の前にも三〇分、一緒に取り組むことにした。覚える必要のあることは、そのときに覚えさせる。動詞の活用（これがフランス語では本当に厄介(やっかい)だ）も、一緒に暗唱しながら覚える。リーディングの途中などに突然止めて、「はい、devoirの活用をいってごらん」と聞くようなことも行った。頻繁(ひんぱん)に。

さらに、長文を聞いたあとで内容についての質問に答える問題では、リスニング教材をこれでもかというくらい聞かせた。スピードが変えられるプレーヤーを使い、始めはゆっくり目で、慣れたら通常のスピードで、それにも慣れてきたら一・五倍くらいのスピードで、何度も聞く。一・五倍のスピードから元のスピードに戻すとゆっくりに感じられ、安心感が得られる。これは良い方法だと思った。

また、ゆっくり聞いているときに、シャドーイングという練習法を取り入れてみた。これは文章を聞き終わってから復唱するのではなく、聞きながら、その一秒ほどあとを付いていく方法。これも非常に効果があると感じた。聞き取りの力が付くし、普通にリピートするときよりも、格段に発音やイントネーションがネイティブに近づく。いわゆる流暢な感じが醸(かも)し出されるのだ。

試験前の二週間は、私は午前か午後を自宅勤務にして、昼食の前にも三〇分のフランス語レッスンを行った。一日三回で計九〇分、最後の二週間だけでも、実に二一時間だ。

結果、息子は、この最も苦手な科目でAをとった。試験でAをとるための勉強だったのだが、フランス語しか通じない国を一人旅してもなんとかやれるだけの語学力が付いたと、私は確信した。もっとも本人は、試験から一週間もしないうちに、「もう、完璧に、きれいさっぱり忘れた」といっていたが……。

毎日、それもかなりの時間、そして真剣な態度で勉強する——私の英語や息子のフランス語の試験がうまくいったのは、そんなあまりに当然のことをした結果だ。やろうと思えば誰にでもできる。学ぶ場所は、別に外国でなくとも、日本で十分だ。

TOEICより英検一級を

かくいう私は、大学を卒業してから英検一級を受けるための勉強を始めた。

当時、私は東京・日本橋に本社を構える、ガソリンスタンドや保険代理店、そしてレストランなどを運営する、ミニ・コングロマリットといった体の中小企業に勤めていた。仕事はレストラン部門の事務だ。

英語なんか使う機会はまったくない。オフィスは常にタバコの煙が充満し、三〇歳の女性をババア呼ばわりする男がうようよしている酷い職場環境だった。当時の日本は、そんなことがまかり通る暗黒時代にあった。

しかし私には、いつかは知的でインターナショナルな環境で仕事をしてみたいという夢があった。実際にはなんの当てもなかったが、もし今後そういうチャンスがあったとしても、いまの英語力ではそのチャンスをつかむことはできないとも思っていた。

そのため、英会話学校に週三回ほど通い、英検一級受験用の教材を買いそろえ、学習計画を作って実行した。一次試験である筆記テストには一度で受かったが、ヒヤリングとスピーキングの二次は、ヒヤリングがうまくいかず、一度目は失敗、二度目で合格した。

そうして英検一級をとったあと、英文タイプを習い、転職した。英国の小さな輸出入商社の東京支店だ。

ここでの日々も、実はあまりハッピーなものではなかったのだが、ときどき英国から来る人のアテンドをしたり、本社とのテレックスでのやりとりがあったりと、英語を使って仕事をする機会には恵まれた。結果、二年後、この会社のロンドン本社に移るというかたちで、私の人生の第二幕が英国でスタートした。

近頃は、英語の能力試験というと、ＴＯＥＩＣが幅を利かせている。が、英語が使えるようになりたい人には、英検の受験を勧めたい。というのも、英検合格を目指して勉強すれば、読解、英作文、ヒヤリング、スピーキングのスキルが確実に身に付くようになっているからだ。

文法や読み書き中心からコミュニケーション重視へ、という私には理解できないスローガンは、成果を生み始める気配はあるのだろうか。読解の能力はヒヤリングの能力にも直結しているし、書くことだって相当読めるようになってからでないと不可能だ。そして話すことも、これらのスキルの向上とともに少しずつできるようになってくる。そう私には思えるのだが。

英検一級に合格すると、ちょうど自動車教習所で仮免許がとれたような感じで、英語で仕事や生活をどうにかこうにかできるようになる。あとは場数を踏んで慣れていくことが大事だ。

フランス人の英語に辟易する会議

英語の語彙や表現は膨大（ぼうだい）な数があるので、新しい言葉や表現に出会うたびに書き留めるなどして覚える。加えて流暢さを増すため、先述のシャドーイングは有効な練習法だ。

きれいで分かりやすい発音で話すことも大事。まるでフランス語にしか聞こえない英語を話すフランス人は多く、特に電話会議でこういう人と話すと本当に疲れる。

また英国人でも、その出身地の強い訛りのせいで、本当に何をいっているのか分からないこともままある。英国では、いろいろな訛りが、まったく抑制されずに話されているようなところがある。だから、日本語訛りを恥じる必要はまったくないと思う。

しかし、やはり、イントネーションやアクセントの置き方のせいで聞き取りにくい、というのは困る。きれいで分かりやすい英語であり、そこに微かなお国訛りが混ざるというのが、最も魅力的な英語なのではないかと思う。

若いフランス人の同僚には、本当に見事な英語を話す人もおり、感心させられる。時おり混ざるフランス語訛り。これがなんともチャーミングである。日本人の場合は、「R」と「L」の区別には気を付けたい。まったく違う意味に取られることが実際に起きるからだ。

この章の結論として、日本で生まれ育った人であるにもかかわらず英語でのコミュニケーションに長けている人は、どういうふうに学習したのかを調査してもいいのではないかと思う。必要に迫られて必死に勉強しただけ、というケースがほとんどだと、私は想像する。

人間は普通、必要のないことに対して必死になることはない。ほとんどの日本人は英語を話す必要がないのだから、下手でも当然だろう。

それでも日本人全体の英語能力を上げたいというのなら、中学卒業までに英検三級を、高校卒業までに英検二級を、大学の教養課程修了までに英検一級をとることを必須にしたらどうだろう。

そのうえで一年間の留学経験が加われば、もうその人の英語はかなりのレベルになっているはずだ。

余談になるが、言葉の習得については、世の中には根拠のない様々な話がある。幼い子供の能力は驚異的であり、数ヵ国語を同時に教えても混同することはない、というのもその一つ。だが、それは違う。

私の娘が三歳くらいのときのこと。ある日、キッチンのテーブルで、黙々とお絵描きをしていた。私が「ヨウコちゃん、何を描いているの？」と、日本語で話しかける。すると無邪気(むじゃき)な笑顔を見せて得意そうに、娘はこう答えた。

「アイム・カイティング・ア・クマサン！」

かいてぃんぐ？　描いてing？　あ・くまさん……。

第三章　美しき金融都市エジンバラ

ジキルとハイドのモデルを看板に

私は徒歩通勤だ。エジンバラのメイン・ストリート、プリンシズ・ストリートの北側を並行して走るジョージ・ストリートにオフィスがある。

家に帰るときは、オフィスからひたすら南へ向かって歩く。百貨店や大型の洋品店などが並び、買い物客で常に賑わうプリンシズ・ストリートだが、商店があるのは道の北側だけで、南側には店はなく、歩道の柵の向こう側は谷。その斜面がプリンシズ・ストリート・ガーデンズという非常に美しい公園になっている。

その公園の西の端にはエジンバラ城があり、その先には、なんともお伽話(とぎばなし)めいた風情(ふぜい)の、それでいて立派な建物が連なってそびえている。これらはガイドブックなどには載っておらず、なんの建物だろうとエジンバラに来た当時は思っていたが、高級住宅なのだという。

ギリシャ建築風のスコットランド国立美術館は、それ自体が橋の一部になっているようなポジションにあり、そこを過ぎると急な上り坂になる。エジンバラにはこのように起伏があり、そのためとりわけ美しい景観を形成しているのではあるが、帰り道はほとんどず

プリンシズ・ストリート・ガーデンズ

っと上り坂なので、かなりしんどい。バスはあるが、絶対に時刻表通りには来ないし、健康のためになるべく歩くことにしている。

一番きつい坂を登り終えて道を渡るとすぐ、レイディ・ステアズ・クロウズ（Lady Stair's Close）という場所の階段を上ることになる。ここが恐らく一番の頑張りどころだ。どんなに小さな路地にも、必ず名前が付いている。右側がライターズ・ミュージアム（Writers' Museum）で、ロバート・バーンズ、ウォルター・スコット、ロバート・ルイス・スティーブンソンの三人にまつわる資料を集めた博物館だ。

この階段を上りきると、ふとタイム・ス

ディーコン・ブローディのパブレストラン

リップしたかのような錯覚に囚われる空間が現れる。名前を知らなかったが最近プレートを発見した。ワードロップス・コート(Wardrop's Court)というようだ。ここは、四方を古い石造りの建物に囲まれた広場。左斜めに進むと建物にトンネルのように空いた場所があり、そこを抜けるとロイヤル・マイルと呼ばれる通りに出る。

このロイヤル・マイルという名称はいわば通称のようなもので、西端のエジンバラ城から東端のホーリールード宮殿までがちょうど一マイルの距離なのでそう呼ばれる。四つのストリートが連なったものだ。ウイスキー・ショップやお土産物屋さんなど多くの観光客相手の店が軒を連ねるが、

古代ギリシャの哲人のごとき衣装のヒューム像

壮麗なセントジャイルズ大聖堂や、その向かいには高等裁判所もある。

観光客がよく足を止めて見上げているのは、ディーコン・ブローディ（Deacon Brodie）というパブレストランの壁に掲げてある、この店の名前の由来となったディーコン・ブローディなる人物の絵とその説明を記した看板だ。この人物は、一八世紀にこの辺りに住んでいたという実在の人物。ロバート・ルイス・スティーブンソンの有名な小説『ジキル博士とハイド氏』のモデルになったことで有名だ。

実話は小説ほどにはショッキングではないかもしれないが、当時は大変なスキャンダルになったそうだ。なにせ、ごく真っ当な家具職人であり、人望があり、職人組合の代表や市議のような要職も務めていた人物が、実はとんでもない賭博師で大泥棒だったことが発覚し、最後は公開処刑されたというのだから。

ディーコン・ブローディの看板から道を隔てたところにはデイヴィッド・ヒュームの像がある。一八世紀を代表する知の巨人、その後の世界の多分野で思想家や研究者に大きな影響を与えた。この偉大な哲学者にして歴史家、そして経済思想家でもあったヒュームもエジンバラの出身である。

古代ギリシャの哲人のような衣を纏ったヒュームの美しい座像……肖像画などで見ると、ちょっと愛嬌のありそうな普通のおじさんなので、これを本人が見たら照れ臭いのではないか、などと思ったりする。実際、この知の巨人は当時、ずば抜けた知性で尊敬を集めただけではなく、その暖かい人柄で多くの人に慕われたという。

ハリー・ポッターの作者が眼前に

ロイヤル・マイルを渡るとジョージ四世橋である。これをさらにひたすら南へ歩く。このジョージ四世橋は一見、ストリート、すなわち通りのように見えるのだが、実は名前の

J・K・ローリングが「ハリー・ポッター」シリーズを書いたエレファント・ハウス

通り橋なのだということが分かる場所が何ヵ所かある。そのうちの一つが、エレファント・ハウスというカフェレストランの手前で、橋の欄干があり、下には道がある。

　この辺りは起伏があるというより、街が立体構造になっている。エレファント・ハウスの前では、よく観光客が写真を撮っている。入り口がなかなかお洒落(しゃれ)ではあるのだが、そのためではない。ここは有名になる前のJ・K・ローリングが「ハリー・ポッター」シリーズを書いていた場所の一つで、『賢者の石』『秘密の部屋』『アズカバンの囚人』などは、ここで執筆されたそうだ。この店の一番奥の、エジンバラ城がすぐ間近に見える席がお気に入りだったとか。

彼女は世界的有名人になった現在でもコーヒーショップで原稿を書いているそうで、以前、エジンバラの別エリア（といっても狭い街のことだ、ここからも徒歩圏内だが）にある友人宅近くの小さなレストランで昼食を摂っていたら、すぐ目の前の窓の外に、なんとテレビなどでしか見たことのなかったローリングが現れ、自転車を止めているではないか。その窓を背にして座っていた友人が、私が目を丸くしているのに気づいて、どうかしたの？　と聞く。「いま、J・K・ローリングがそこに自転車を止めてた……」とつぶやくと、なんだそんなことか、という表情で、「彼女は、すぐそこに住んでいるのよ。この向かいのコーヒーショップで、よく書き物をしてるわよ」と、平然としている。

エレファント・ハウスのすぐ先には、もう一つ有名な観光スポットがある。グレイフライヤーズ教会の「ボビー像」。一言でいうと、忠犬ハチ公のスコットランド版とでも呼べる存在だ。主人亡きあと、一〇年以上にわたって、ここグレイフライヤーズ教会の墓地にある主人の墓のそばで、毎日の大半を過ごしていたというスカイ・テリアである。この場所でも観光客が写真を撮っているのだが、ここは交差点にもなっており、人が溜まっていると、かなり迷惑な感じではある。が、自分が住んでいる街に世界中から旅行者が訪れてくれるというのは、なんとも嬉しいことだ。

ボビー像から先はジョージ四世橋からフォレスト・ロードに名前が変わる。もう橋の上ではない。古めかしい薬局があり、入り口の上には薬を調合する大きな臼とスリコギのオブジェが掲げられている。これは薬局のサインであり、昔はどの薬局にもあった。地方の小さな町などでは、いまでもよく見かける。

グレイフライヤーズ教会の「ボビー像」

道の向かい側には、角にドクターズ（Doctors）という名前のパブがある。パブの名前としてはちょっと変わっている。一八七四年に王立病院が設立されたのと同時期にできた建物で、最初は葬儀屋が店を構えていたらしい。その後、医療機器や義足などを扱う店になったり、何度か主が代わっているのだが、ずっとエジンバラ大学や王立病院との縁があったようだ。そこでパブの名前もドクターズだというわけだ。

パブ・ドクターズで「シャーロック・ホームズ」の構想が？

エジンバラ大学では、医学部が一八世紀から世界をリードする存在であった。現在でもそうなのだが、昔から多くの優秀なドクターを輩出してきた。エジンバラ大学自体は一六世紀の設立である。

「シャーロック・ホームズ」シリーズの作者として有名な、エジンバラ出身のアーサー・コナン・ドイル卿もエジンバラ大学医学部出身の医師。シャーロック・ホームズのモデルになったのは、当時そこで教鞭を執っていたジョセフ・ベル博士だということは先述した。普通の人ならまず気付きもしない小さな事象に目を留め、客観的な事実を科学的に積み上げていって結論を導き出すという近代的手法で、ベル博士は

広大な芝生の公園が広がるメドウズ

当時、実際に警察の事件捜査に協力している。コナン・ドイル自身も殺人事件の捜査などに協力し、いくつかの冤罪を晴らしたという。

　ちなみにコナン・ドイルは、一九〇二年、当時の国王エドワード七世からナイトに叙されたので、英国ではいまでもサー・アーサー・コナン・ドイルと、サーを付けて呼ばれる。が、ナイトの称号を与えられた理由は、作家としての功績でも医師としての功績でもない。その背景には、一八九九年に勃発した第二次ボーア戦争の泥沼化があった。英国政府が国内外から激しい批判にさらされていた折、コナン・ドイルは『南アフリカ戦争　原因と行い』という論文を発表し、英国を正当化した。それが評価されてのことだという。

ドクターズの前の道を渡るとメドウ・ウォーク（Meadow Walk）という三〇〇メートルほどの真っ直ぐな下り坂がある。帰り道では唯一の貴重な下り坂であり、ここで呼吸を整えれば、最後の一〇分は楽勝だ。

その先にはメドウズ（Meadows）という広大な芝生の公園が広がる。「meadow」というのは牧草地という意味だが、もともとは文字通り草地であったようだ。偶然、一九世紀終わり頃の写真を眼にしたことがあるが、実際に羊が草を食んでいた。が、その背景に、王立病院の、我が家の子供たちが生まれた産科の建物が現在と変わらぬ姿で佇み、ちょっと不思議な感じがした。それ以前、一八世紀頃までは湖であったものを埋め立ててできた牧草地だという。

メドウズを渡りきると住宅街になり、もうすぐ我が家に着く。オフィスを出てから三五分。これが、私が毎日歩いているエジンバラだ。

英国では転職ではなく移籍

私は現在の勤め先に二〇〇六年六月に移るまでの約六年間、「スコティッシュ・ウィドウズ（Scottish Widows）」という会社に勤めていた。スコティッシュ・ウィドウズ、そう、ずばり「スコットランドの未亡人」という名の生命保険会社だ。

これは、ちょっとすごい社名だと思われるだろうが、英国では老舗の生命保険会社として非常によく知られた名前。現在の勤め先はフランスの大手保険グループＡＸＡ（アクサ）の資産運用会社である。

これまで私はエジンバラで五つの会社の投資業務に携わってきたが、そのうち四社は生命保険会社の運用部あるいは運用子会社で、残りの一社のみが独立系の資産運用会社である。英国では数年ごとに勤め先を移るというのは、わりと普通だ。会社は変わるがキャリアとしては一貫しており、そのたびに少しずつステップアップしていく。現在の勤め先にはもう一二年以上勤めているが。

私の四回の転職（職種は変わらないので、転職というよりも移籍とでもいったほうが相応しいのだが）のうちの最初のものは、勤め先の生命保険会社が同業他社を買収した際のこと。先述の通り、こちらが買った側なのに、なぜか社員の多くがリストラ対象となり、ほとんどが失職した。このときはさすがに不安だったが、幸いにして数ヵ月後には、同業他社、しかも場所も同じセント・アンドリュー・スクエアにある中堅生命保険会社に就職

セント・アンドリュー・スクエア

することができた。

そのあとの三回の転職は、すべて競合他社からの引き抜き、いわゆるヘッドハントされた形だ。

余談だが、少々驚いた偶然がある。東京で大学を卒業してからエジンバラに帰ってきた私の娘が同業の大手資産運用会社に就職したのだが、所属部門が、なんと私がエジンバラで就職したとき最初に働いたセント・アンドリュー・スクエアの同じビルにあったのだ。

外装は変わってはいるが骨組みは同じ。母と娘が二十数年の時を経て、同じ業界で、しかもまったく同じアドレスで、キャリアのスタートを切ったわけだ。

私はその最初の勤め先にいる時期に娘を授かった。娘がお腹にいた頃は、隣のビルに私のデスクは移っていたのだが、社員食堂は本社だったその建物の最上階にあった。そこで産休に入るまで、ほぼ毎日、同僚とお昼を食べていた。

そのときのお腹のなかの赤ん坊が、いま同じビルで働いているなんて、なんだか不思議な気分だ。娘も「初めて出勤した朝、すごく緊張してビルの玄関を入ったんだけど、本当は何ヵ月ものあいだ毎日来ていた場所だったのね」と、びっくりしていた。

毎日エジンバラを訪れる日本企業

私は、ずっとエジンバラで金融機関に勤めていると書いたが、現在の勤め先は、パリとロンドンが主なオフィスで、私以外のファンドマネージャーは全員、そのどちらかで仕事をしている。私も実は、ロンドンのシティにあるオフィスに本当の席があるのだが、そこに座るのはせいぜい月に二〜三日といったところ。ほとんどは、会社がエジンバラのジョージ・ストリートに借りてくれた小さなオフィスで、一人で仕事をしている。

というのも、アクサにスカウトされたときには子供たちも幼く、ロンドンに引っ越すなどということは論外だったので、「エジンバラで働けるなら」という条件を出し、それが認められたのだ。あっさりと。

ときどき「一人で寂しくないの？」などと心配してくれる同僚もいる。が、寂しがって

歴史を感じさせるジョージ・ストリートの建築物

いる暇などない。来客がひっきりなしにあるからだ。証券会社のアナリストやエコノミストといった人たちである。

ときには顧客とのミーティングもある。メインは日本企業の経営者やＩＲ担当者（企業を代表して投資家とコミュニケーションをとる役職）である。ほぼ毎日のように誰かが訪ねてくる。多いときには一日に三〜四社の方と会うこともある。

私が駆け出しの頃は、日本企業とのミーティングは、その多くがランチ・プレゼンテーションという形式だった。エジンバラの高級ホテル、バルモラル、カレドニアン、シェラトンのどこかに一〇人から二〇人の投資家が招待され、たいへん豪華なランチを前に、まず日本企業によるプレゼンテーション、続いて質疑応答という形だった。ただ、ほとんどの場合は通訳が入るので、スムーズな会話が成り立たない。宮殿のような美しい広間に集まり、同業者と友好を深める社交の場でもあり、それなりに楽しくはあったが、どれだけ相手の日本企業のことが理解できたか、そこに疑問符が付いた。

また、いま思い出すと、不必要に贅沢(ぜいたく)な会だった。現在では、こんなこともすっかりなくなったので、ホテル側は大変だと思う。

現在では、ほぼすべてのミーティングが個別に行われている。この二〇年で業界内の合併の結果、資産運用会社の数が減ったためだ。しかし、私は日本人なので通訳は必要なく、経営トップやIR担当者と、文字通り一対一でじっくりお話をすることができる。そのため、いまの形式に満足している。というのも、前の勤め先では、せっかく個別に来ていただいても、一緒に出席する同僚が日本語を理解しないので通訳が必要になり、いつももどかしい思いをしていたからだ。

「英国アドバンテージ」とは何か

ジャーナリストの取材や新規顧客とのミーティングでは、「担当する市場から遠く離れた英国で、しかもシティではなくエジンバラで仕事をしているのは、不利ではないですか？」とよく聞かれる。そのたびに私は答える。「とんでもない。エジンバラで働いていることは、実は私にとって大きなアドバンテージなのです」――これは営業トークでいっているわけではない。本当のことなのだ。

まず、英国から日本市場を担当することの有利さがある。私はこれを「英国アドバンテージ」と呼ぶ。

時差が冬は九時間、サマータイム（三月の最終日曜日から一〇月の最終日曜日）のあいだは八時間――これが絶妙に便利なのだ。朝、仕事を始める時間は、ちょうど東京市場が閉まったところ。終値、その日の動きやニュース、企業からのプレスリリース、アナリストからのリサーチノートなどのチェックを、比較的に短時間で済ませることができる。

また、英国の朝早めの時間は日本でもまだ営業時間内なので、電話で直接お話がしたいという場合も、まったく問題がない。そうしたことを一通り済ませたあと、日中は、企業の方々と面会したり、自分のリサーチをしたり、投資戦略を考えたりといったことに集中できる。

しかしニューヨークにいると、時差の関係で、こういう風には行かない。私は日本にいるよりも英国にいるほうが有利だとさえ思う。

エジンバラの機関投資家の特長

次が「エジンバラアドバンテージ」と私が呼んでいるもの。なぜ、エジンバラで働いていることが有利なのか？

かつては私が何度も転職できるほど多くの金融機関がエジンバラにはあったが、私が過去に勤めた四社は、すべてその後、他社と合併するか吸収されている。そのようにして、会社の数は減少していった。それでもなおエジンバラは、ヨーロッパの重要な金融センターの一つと見なされている。そして多くの企業が「投資家訪問」をするため、毎年、この地を訪れ続けている。なぜか？

企業経営者の方々は、口を揃えて、「エジンバラの機関投資家は、企業の成長性をよく吟味（ぎんみ）したうえで、長期的に株を保有してくれるからです」といってくださる。

「機関投資家」とは、顧客から預かったお金を専門職が運用する金融機関のこと。それを担当するのが、私たちファンドマネージャーと呼ばれる専門職だ。保険会社を母体としている機関投資家は非常に多い。

それでは、なぜ、そもそもエジンバラが重要な金融センターの一つなのかといえば、ここは、世界に先駆けて驚くほど早い時期から投資業務が発展した場所であるからだ。これにはなかなか興味深い歴史的背景がある。

牧師の妻帯とファンドとの関係

ここで時間を一気に二百数十年前に戻すことにする。時は一七四〇年。場所はここエジンバラである。パブリック・バー（パブ）で二人の牧師が向かい合って座り、クラレット（ボルドー産の赤ワイン）を飲んでいる。この二人、ウェブスターとウォリスは親友同士。彼らには同業という以外に二つ、共通した大好物があった。一つはもちろんクラレット。もう一つは数学である。

この夜も様々な話題でひとしきり盛り上がったが、このところ話はどうしてもある深刻な問題へと行き着くのだ。これを解決しなければ、教会が立ち行かなくなる。その問題というのは、実は昨日今日始まったことではない。なんと二〇〇年近くものあいだ、どうにかやり過ごそうとしていたが、事態は深刻になる一方の問題……ここで打開策を打ち出さなければ破滅である。

ことの発端は一五六〇年、スコットランド国教会が聖職者たちに妻帯を認めたことだ。このとき牧師たちは、いわば元祖サラリーマンとなった。教会からもらう給金だけが生活の糧(かて)となったのだ。しかし、彼らが死んでしまうと、残された妻子は路頭に迷うことになる。この状況に対し、教会が何もしないわけにはいかない。それこそキリスト教の精神に反するというものだろう。

というわけで、未亡人に対して死亡一時金のようなものを出すことで、なんとかしのごうとしてきた。が、これは牧師の生前の年収の半分の額であり、いってみれば雀の涙……全然ないよりいくらかまし程度で、まったく問題の解決にはならない。そうはいっても、牧師の遺族を一生養うことは不可能だ。

……「ちょっと待って、絶対に不可能だろうか」と、ウェブスターとウォリスはお互いの顔を見る。こういう仕組みはどうだろう？

その頃までには相当な人数になっていた牧師たちが、給金からいくらかを拠出してファンドを作る。そして、亡くなった牧師の家族に、そこから生活費を支払う。その際に重要なのは、この支払いはファンドの元金から出すのではなく、できるだけファンドが生み出したリターン（配当、利息、投資の利益）から払う、という点だ。そうすることで、ファンドが枯渇してしまうのを防ぐことができる。

生保や年金の起源となる仕組み

それでは、そうした仕組みが機能するための金額や、牧師が給金から拠出する金額は、いくらが適正なのか？　まず、将来どのくらいの金額をファンドから遺族に給付することになりそうなのか、それを見積もる必要があった。

これは高度に数学的な問題で、いまでいう保険数理である。数学好きでもアマチュアの手には負えない。幸運なことに、先述の赤ワイン好きの二人には、本物の数学者の友だちがいた。本物も本物、なんと世界的な数学者でエジンバラ大学教授であったコリン・マクローリン、その人だ。

その時代になると、過去約二〇〇年分の教会運営に関する統計的資料、また出生と死亡に関する国のデータがすべて整っており、入手可能であった。マクローリンはパスカルの確率論などにも精通しており、かなりの精度で拠出金算定の基準となる、現在でいうところのアクチュアリアルテーブル（標準生命表）を作成した。こうして、合理的予想に基づく長期に継続可能な仕組みを作ることに成功したのだ。

生命保険や年金の起源については諸説ありそうだが、いま普及しているものの原型といえる仕組みは、これだったのではなかろうか。

またスコットランドでは、この頃までに現在の銀行の原型となる組織が数多く存在し、制度としても確立しており、契約や信用という概念も確固たるものになっていた。こうした背景も、生命保険や年金の仕組みが生まれるためには不可欠だったのである。

ちなみに、私が普通預金口座を持っているバンク・オブ・スコットランドは一六九五年に、ロイヤル・バンク・オブ・スコットランドは一七二七年に、エジンバラで設立されている。

このウェブスターとウォリスが数学者マクローリンの大きな助けを得て生み出した新しい組織は、三年後の一七四三年、ザ・チャーチズ・アンド・ユニバーシティズ（スコットランド）ウィドウズ・アンド・オーファンズ・ファンドとして発足する。そして、多くの人々を貧困から救い出すことに成功した。

これ以降、多くの類似のファンドが設立されるようになったが、もちろんその全部がうまくいったわけではない。目論見通りに行かず、元金を食い潰して破綻（はたん）するケースも少なくなかったようだ。

ナポレオン戦争で生保の設立が

先述した私の元勤め先、スコティッシュ・ウィドウズのウェブサイトにある沿革を見ると、この会社は以下のような始まり方をしている。

〈一八一二年三月、スコットランドの有力者たちがエジンバラのロイヤル・エクスチェンジ（市役所の建物）のコーヒー・ルームに集まり、一家の稼ぎ手に先立たれた未亡人、姉妹、その他の身内の女性の生活を助けるための共済基金を立ち上げることを話し合った〉

世界史に詳しい方なら、この時期がナポレオン戦争の時代であると気が付くだろう。ホレーショ・ネルソン提督の率いる英国艦隊がフランス・スペイン連合艦隊に大勝し、ナポレオン・ボナパルトが英国上陸を断念したことで名高いトラファルガーの海戦が、一八〇五年のことである。

そして一八一五年一月二日、スコットランド初の相互（ミューチュアル）会社形式の生命保険会社、スコティッシュ・ウィドウズ・ファンド・アンド・ライフ・アシュアランス・ソサエティが創設された。つまりこの会社は、特定の業種の団体ではなく、一般に誰でも加入できる、つまり現在の生命保険会社と基本的に同じものだ。

昨今、英国でも日本でも、生命保険会社の株式会社化（デミューチュアライゼーション）が進んだが、そもそも相互会社が基本型だった。つまり、株式会社が株主の利益を最大化することを目指しているのに対し、相互会社は保険の加入者全員で会社を共同保有しているというもの。生命保険の本来の役割を考えれば当然の形式だ。

一九一二年四月一五日、絶対に沈まない船として鳴り物入りでお披露目されたタイタニック号が、処女航海の六日目に北大西洋で沈没したとき、犠牲者一五一三人のなかの二人のみがスコティッシュ・ウィドウズの生命保険の加入者であった。すると、その遺族に対しては、しっかりとした保障がなされた。二人しかいなかったのは意外だが、その頃までには他にも多くの生命保険会社が存在したので、そうしたところに加入していたのだろう。

おそらく、そもそも生命保険を掛ける人の割合は、現在とは比べ物にならないほど低かったのだろう。さらに、絶対に沈まないということを大宣伝したそうなので、まさか処女航海でいきなり沈むとは誰も予想しなかったのだろう。だから保険を掛けた人が少なかったのではないか。

００７と投資会社の因縁

生命保険会社の資産運用の目的は、儲けることではない。不幸にして稼ぎ手に先立たれた家族が生活していくための資金を確実に用意することである。そのため、リスクを抑えた堅実な投資が基本となる。

こうしたファンドとはまた別に、そもそも投資で資産を増やすことを主目的にした仕組みもできた。投資信託のようなものと考えていただいていい。

そして、この時代に最も有名だったのが、スコットランドのダンディー（スコットランドで四番目に大きい都市）で一八七三年に設立された、ロバート・フレミング・アンド・カンパニーのファースト・スコティッシュ・アメリカン・インベストメント・トラスト。米国の鉄道債に投資をしていた。

創設者のロバート・フレミング（一八四五年ダンディー生まれ）は、スパイ小説の「００７」ジェームズ・ボンド・シリーズの作者として知られるイアン・フレミングの祖父に当たる。ちなみに、映画化された「００７」シリーズのジェームズ・ボンド役で世界的大スターになったショーン・コネリーも、エジンバラ出身だ。

一八八〇年頃、エジンバラには、いくつもの投資会社が設立された。私がこれまで勤めた会社のうち一社のみが生命保険会社系ではないと前に書いたが、それがマーティン・カリー（Martin Currie）という会社。設立は一八八一年で、日本銀行が設立される前年のことである。

私がこの会社で働いていたのは一九九四年から二〇〇〇年までで、会社設立から一〇〇年以上経っていたが、廊下には設立当時に数人いたパートナー一人ひとりの肖像写真が飾られていた。加えて主な会議室には、彼らの名前が冠されていた。マーティン・ルーム、カリー・ルームといった具合に。

オフィス自体は新しい近代的な建物に入っていたが、私の机は深い緑色の革張りで、見るからに時代物であったし、そこここに古い家具や時計が置かれ、独特な雰囲気を醸し出していた。

投資向きのスコットランド人気質

生命保険の資産運用が堅実さを旨（むね）とするのに対し、儲けることが目的のファンドのなかには、果敢にリスクを取りに行くものもある。そう一言でいってしまうと、何か向こう見

エジンバラ城から見下ろす市街地

ずなギャンブル的な胡散臭さをイメージする人もいるだろう。が、こうしたリスクマネーがないと世の中が進歩しないということも真実だ。

英国の産業が世界に先駆けて大きな発展を遂げることができたのも、こうした資金の存在があったから。画期的な発明が、資金の裏付けもなく次々と生まれたわけではない。

資金なしには、優れた発明も、絵に描いた餅になってしまう。それらが大きな利益を生む事業になることを信じて投資される資金があってこそ、実現していったのだ。

『八十日間世界一周』が書かれた時代、スエズ運河の建設や、米国大陸横断鉄道の開通などが相次ぎ、世界は急速に小さくなったという話を書いた。早くから海外に投資機会を求めて出ていったスコットランドのマネーは、この時代、いろいろなところで貢献していたのだ。たとえば米国での大農場の設立、シカゴ大火のあとの大再開発なども、例として挙げられる。

株式の「国際分散投資」は現在では普通に聞く言葉だが、エジンバラの投資会社は、いち早くこれを手掛けたそうだ。マーティン・カリーに勤めていた頃、一九二〇年代には既に、広く海外の株式に投資していたと聞いて、驚いたことがある。

このように、スコットランド人は冒険心に富んでいる。反面、一般にしまり屋でもある。こうした気質が投資家に向いているのではないかなどと、私は考えたりしている。

エジンバラから見た日本の未来像

縁あって投資の世界で働くようになったエジンバラ。この伝統の街エジンバラから、長い年月にわたって日本を見つめ続けた。日本に住んでいたら、まずお目にかかれないであろう数多くの素晴らしい日本人と出会い、多くのことを学ばせていただいた。そう思うと感慨深いものがある。

これは不思議なことなのだが、日本からの訪問者のなかには、次のようにいう人が少なからずいる。

「ヨーロッパの都市を数ヵ所まわってからエジンバラに来ると、毎回なぜだか、ほっとするんですよ」

都会の喧噪(けんそう)から解放された街だからなのか――私が初めてエジンバラに来たときも、何か表現しがたい懐かしさのような気持ちがこみ上げてきた。ここには日本人の心に触れる何かがある。

近頃は、それぞれの企業の成長戦略を伺っているうちに、気が付くと、日本の未来を語り合っていることが多い。そして第五章でも述べるが、その未来はとてつもなく明るい。それは、ここまで紹介してきた伝統と先見性を併せ持つエジンバラにいるからこそクリアに見えてくるものなのだ。

第四章　スコットランドの日本的な人々

スコットランドと日本の家族の型

最近、私はあることを知って驚いた。

スコットランド人と結婚し、スコットランドに住むことになったが、異人種である夫との暮らしや親族との付き合いに関して、日本との大きな違いに戸惑ったりすることはなかった。もちろん言葉の違いはあるが、それ以外は、まるで同じといってもいいくらいだ。

それについては、これまで、「そもそも人間社会というものは、地球上どこでも似たり寄ったりなのだろう」というくらいにしか考えてこなかった。

ところが、フランスの人類学者であるエマニュエル・トッドの本を読んで、まさに目から鱗(うろこ)が落ちる思いであった。それぞれの人間社会のあり方は、実は多様であり、それは「家族」の型によってほぼ決まるのだが、スコットランドと日本の型が非常によく似ているのだ。

もし同じヨーロッパ人でも、この型が違う地域に属する人と結婚していたら、国際結婚は苦労が多いとぼやいているか、あるいはとっくに日本に帰ってきていたのか……それとも私自身が変わることで、なんとかやっていたのか。

いずれにしろ、社会のあり方は人々の価値観に密接に関わるので、家族の型が似ている者同士の結婚はうまくいく可能性が高いと思う。

一般に、国際結婚における離婚率は、同国人同士の場合よりも遥かに高い。その理由は文化的な違いだと一言で片づけられやすい。でも、もしかすると、バックグラウンドとなる家族の型が同じ国同士の組み合わせの場合、他と比べて離婚率が低くなる、などということがあるかもしれない。

家族において、父親の権威が強いかどうかを縦軸に、兄弟関係が平等かどうかを横軸にすると、人間の家族の型は四つに分けられる。

父親の権威が強く、兄弟が平等ではないという型が、「直系家族」と呼ばれるもので、スコットランドと日本はこのグループに入る。他に、ドイツやスウェーデンなどがこれに入るそうだ。

ここでいう権威は、権力とは違う。威張っているとか力で押さえつけているという意味でもない。たとえば、いくら優しいお父さんであっても、「お父さんは家族のなかで一番偉い人」ということが自然に決まっている場合、権威がある、という。

日本から見ればスコットランドもイングランドも英国だが、イングランドは違うグループに入っている。兄弟が平等ではないところはスコットランドと同じだが、親子関係の型が違うのである。

家族の型が違うと国際結婚は

イングランドでは父親の権威は強くなく、子供は成人したら親の家を出て、別の家庭を作る。これが「絶対核家族」という型である。米国もこの型に属している。

イングランドとスコットランドを併せた英国では、子供が高校を卒業すると、大学に入るにせよ就職するにせよ、親の家を出るのが一般的なようだ。だから私の息子が大学に入ったとき、スコットランド人の友人が「で、大学の寮に入ったの？　それともどこかに部屋を借りた？」と聞くのに答えて、「家から通ってるわよ。だって、エジンバラ大学だもの。家から徒歩一五分だし」というと、友人は驚いた。そして、「大学生にもなった息子に毎日、食事を作ってやってるの!?」と叫ぶではないか。

驚いたのは私のほうだ。そんなことを考えてみたこともなかったからだ。

一方、娘は東京の大学に行ったので、東京の私の実家から通学した。いわば、これも「自宅通学」で、寮に入れるなど考えたこともなかった。息子は保育園から大学までずっと徒歩圏内で、大学生になったからといって家から出すなどということは、頭をよぎったことすらなかった。

私も東京の大学に入ったので当然、親の家から通ったし、就職した際も親の家から通勤した。そのことに、なんの疑問も抱かなかった。

そもそも「親の家」に居候（いそうろう）しているなどという感覚はなく、「自分の家」から通学・通勤していると思っていた。しかし、いろいろ聞いてみると、スコットランドを含む英国では、私の友人がいうことのほうが普通のようだ。

ところが一方で、夫の両親は結婚してしばらく、義父の両親と同居していたことも分かった。その時代、成人しても結婚するまで親の家に住むことなど、まったく珍しいことではなかったらしい。

これは現在でも日本では普通のことだ。とすると、トッドの分類どおり、スコットランドは本来、日本と同類といえるようだ。それが、現代になっていくらかイングランド化したように見えるのかもしれない。近年では人々の進学や就職による移動距離が長くなり、結果、親の家を出るのが普通になったということもある。

このスコットランドや日本が属する「直系家族」という型では、親は子供の教育に熱心である。また、世間体を気にするという特徴があるそうだ。

教育については、すんなりと腑に落ちる。「直系家族」では子供の行く末は家の行く末そのものなので、教育は家としての最重要課題となる。ところが「絶対核家族」では、子供が成人すると独立して別の家を形成するので、勉強して豊かな生活を築けるようになるかどうかは本人次第、ということか。

我が家では、子供の教育は、常に夫婦の一番の関心事であった。これまで親として当然のことと思ってきたが、スコットランドと日本の家族の型が同じであったことで、幸運にも意見が合ってきたということのようだ。

世間体を気にするスコットランド

世間体についてはどうだろう。私は、世間体をことさらに気にするのを、きわめて日本的なことのように思っていた。が、これも「直系家族」の特徴なのだそうだ。

かつて私は、西洋人は人からどう見られるか気にしないという印象を持っていた。それは、当時の知り合いの西洋人が、ほとんど、イングランド人や米国人に限られていたからかもしれない。

ところがスコットランド人たる夫は、子供の頃、何かにつけて両親から、「そんなことをしたら近所の人に見られて恥ずかしいから、やめなさい」などといわれて育ったそうだ。両親にとって「世間から変だと思われないこと」は、常に重要なことだったらしい。日本でも品行の悪い人間がいると「親の顔が見たい」などというが、そんなことをいわれたくない気持ちと同じなのだろう。

ところで、家族の型がその社会のあり方を決めているとするなら、その型が時代とともに変化すると、人々の価値観や社会のあり方も変わるのだろうか。たとえば「直系家族」の土地でも、昨今は核家族化が急速に進んだので、価値観が変化しているのだろうか。

これについてエマニュエル・トッドは、以下のように述べている。

——伝統的な家族システムが崩壊したあと、それに基づく価値観というものも崩れていくのではないかと、かつては仮定していた。が、調査を続けた結果、そうではなく、その土地に元から存在した価値観は、その家族システムが変容したあとも、長くその地に残る。価値伝達のメカニズムは家族のなかだけにあるのではなく、もっと広く、社会、たとえば学校や企業のなかにも存在する。

スコットランドも日本も、どちらももともと「直系家族」に属する。同じ型のもとで形成された価値観の土地だ。そこに嫁いできた私が特に違和感を抱かなかったのも、むしろ当然のことなのかもしれない。

教育熱心である、世間体を気にする、などを例に挙げてきた。しかし、これ以外にも、無意識の行動パターンなど非常に多くのことが、家族の型に基づく価値観に支配されたうえで、日本人とスコットランド人の共通点となっているのかもしれない。

そういえば、私はこれまで数人の日本人に、こういわれたことがある。

「外国暮らしが長い日本人女性って、大概ある種独特なタイプになるけれど、あなたはそういうことがまったくないですね。ごくノーマルな日本女性っていう感じがします」

また一方で、何人かのスコットランド人には、その逆、ある意味では同じことをいわれた。

「あなたが日本人だっていうのが、なにか不思議。そんな遥か遠いところにある、言葉も文化も違う国で生まれ育ったなんて信じられないわ。まったくスコットランド人と変わらないもの」

そういわれると、「私って誰から見てもフツウってこと?」などと思ってしまった。が、こうして日本とスコットランドに共通する根本的な価値観のことを考えてみれば、実は不思議なことではない。

ちなみに、エマニュエル・トッドによる「直系家族」「絶対核家族」以外の家族の類型には、「外婚制共同体家族」と「平等主義核家族」がある。前者は父親の権威は強いが兄弟は平等という家族の型で、ロシアや中国がこれに当たる。この家族の類型と共産化した国が見事に重なることに気づいたことで、三〇年以上前、トッドの理論が生まれたということだ。

後者の「平等主義核家族」は、親子関係が非権威主義的で兄弟は平等という型で、フランスやスペインがこれに属する。イデオロギー的には共和主義や無政府主義になる傾向がある類型とのことだ。すべて統計から導き出される彼の理論の強力な説得力によって、私の世界観や歴史観は、大きな見直しを迫られている。

英国内の準英国人とは

スコットランドの人口は、五〇〇万人を少し超える程度である。もちろん全員がスコットランド人ではない。私のような外国籍の人間もたくさん住んでいるし、移民として来た人もいる。

また、それ以外に多いのが、スコットランド人のバックグラウンドを持つニュージーランド人やオーストラリア人など。私のピアノの師匠、ケンがそうだ。オリジンはスコットランドだが、ニュージーランドで生まれ育ち、成人してからこちらに来て、スコットランド人女性と結婚して家庭を持った。しかし国籍は、ニュージーランドのままだ。

外国籍といえば外国籍だが、ニュージーランド、オーストラリア、カナダなど英連邦(Commonwealth)に属する国の国民は、英国内では準英国人のような地位が与えられており、私のような普通の外国人には与えられていない参政権もある。

ところで、ご存じだろうか。スコットランドに住んでいるスコットランド人の数より、スコットランド以外の国に住んでいるスコットランド人のほうが圧倒的に多いということを。

これはちょっと驚くような数字だ。スコットランドに住んでいるスコットランド人の数は約四四〇万人。それに対し、米国には、それを上回る五〇〇万人以上のスコットランド人が住んでいる。カナダがスコットランドのスコットランド人とほぼ同数。オーストラリアが約一八〇万人だ。

なお、ここで挙げた他国の数字は、自分はスコットランド人であると思って生きている人の数といったほうがいいのかもしれない。

ニュージーランドにおけるスコットランド系の人口も調べてみたのだが、なぜか見つけられなかった。スコットランドで生まれて、いまニュージーランドに住んでいる人の数のデータはあるのだが。ケンにその話をしたところ、一つ思い当たることがあるといった。彼が子供の頃、学校経由で家庭環境調査票のようなものが各家庭に配られて、そこには人種を書く欄があり、多くの親から大反発を受けたというのだ。

ニュージーランドでは、みな同じニュージーランド人であるべきで、「あなたの祖先はどこの国から来たのですか」などと聞くのは、PC（ポリティカル・コレクトネス）に反する、すなわち政治的に正しくないことなのかもしれない。

ケンによれば、そうはいっても一方で、一般にスコットランド系ニュージーランド人は自分たちのアイデンティティを非常に大切にし、その文化を守ることに熱心であるし、また先住民マオリ族の血を少しでも引く人も、そのことを誇りに思っている。それが普通のことだそうだ。

日本は、ほとんどの国民が日本人であることになんの疑問も持たない国であり、私もそういう「普通の日本人」だ。正直なところ、最近まであまり深く考えていなかったのだが、世界的に見たら、そういう国のほうがむしろ少ないのではないか。

「私たち日本人」ということに何のためらいもない国民が大半だからこそその一体感や、力を合わせていこうという気運の高まりといった多くのポジティブな面がある一方で、「普通の日本人」はそれ以外の日本人も多くいる事実を忘れがちだ。

仮に「普通の日本人」から少しでも離れている人が生きにくいと感じている社会が日本なら、それは本当に残念だ。社会も企業も、異質な存在を柔軟に包容していくことで、むしろ強くなるのではないか。

海外移住を余儀なくされた歴史

あるときピアノのレッスンのあと、ケンの家族は、いつ頃、どんな事情で、ニュージーランドに移住したのか聞いてみた。すると一瞬、「えっ、知らないの?」というような顔をしてから、ちょっと神妙な表情で、「ハイランド・クリアランス(Highland Clearance)」のときに追い出されたのだと答えた。

この言葉を知らなかったわけではない。が、夫の親戚のうちスコットランドを離れて海外へ移住した人たちは、それよりずっと時代が下ってからのことであり、誰に追い出されたわけでもなかった。どうやらスコットランドを離れた人たちは、その時代も理由も様々なようだ。ただ、初めの大きな波は、このハイランド・クリアランスだったというのは歴史的事実だ。

一八世紀の半ば以降、断続的に一九世紀半ばまで続いたハイランド・クリアランスは、最も単純な説明としては、羊の放牧をしたいがために地主が「ハイランド」の住民を追い出した、ということになる。

スコットランドは北西の半分が、その沖の島々も含めてハイランド、南東の半分が「ローランド」と呼ばれる。首都エジンバラをはじめ、スコットランド最大の都市グラスゴー、そしてアバディーンやダンディーなどの主要都市は、すべてローランドにある。

一八世紀初めまでには、ローランドではかなり近代化が進み、文化的にも政治的にもイングランドに近かった。また、ローランドの人々は英語を話したのに対し、ハイランドでは、この頃はまだ英語を話す人はほとんどいなかった。

ハイランドの言語はスコットランド・ゲール語である。スコットランド・ゲール語というのは英語とはまったく違うケルト系の言語で、男性名詞や女性名詞の区別がある。また、形容詞が一般に名詞のあとに置かれるなど、フランス語などラテン系の言語と多くの取れないのだが。

共通点を持つ。数は少ないが、現在でもこの言語を日常的に話す人たちはおり、公共放送BBCにも専門のチャンネルがある。いくら耳を凝らしても、私にはまったく一言も聞き取れないのだが。

もともとハイランドは、「クラン（clan）」に分かれていた。クランというのは、日本の江戸時代の藩をイメージすると分かりやすいかもしれない。藩主に当たるクラン・チーフ（普通はお城に住んでいる）を頂点とし、底辺が小作という、農業中心の階層組織だ。そして同時に、武力集団でもある。とすると、クラン・チーフは藩主というよりも戦国大名といったほうがいいのか。

一七四五年、チャールズ・エドワード・スチュワートに連合王国の王座を取り戻させるべく、ハイランドのクラン・チーフたちが蜂起した。そうしてイングランドおよびローランドを相手に激戦を繰り広げ、一時は勢いを得たが、翌年、カロデンの戦いに敗れ、多くのハイランド人が討ち死にした。しかも、戦いが終わってからも何ヵ月にもわたって執拗な追跡に遭い、多くがさらに惨殺されたことで、禍根を残すことになった。

こういう話を聞くと、なにか大昔や中世の出来事のように思えるが、ここでちょっと金融機関の成り立ちについて書いた第三章を振り返っていただきたい。この頃までには、エジンバラではバンク・オブ・スコットランドやロイヤル・バンク・オブ・スコットランドがとっくに創立され、契約や信用などという概念も確立し、年金のシステムも生まれている。ちなみに、その年金制度の確立に際して多大な貢献をした数学者のコリン・マクローリンは、ハイランド人たちからエジンバラを防衛するために戦った中心的人物としても知られている。

この後、クラン制度に基づく伝統的な生活様式が崩壊し、多くのハイランド人が米国、カナダ、オーストラリア、ニュージーランドなどへと移住する。前述のようにハイランド人は英語を話さなかったので、当初は大変な苦労があったそうだ。

こうした歴史は単純なものではない。一部の非常にナショナリスティックなスコットランド人が、若者に対し、イングランド憎しの被害者意識を煽（あお）ったりするときに歴史を利用するのは、本当に残念なことだと思う。

義母は聖書の「地の塩」

二〇一七年九月二九日、夫の母、アグネス・ボウ・ハーディ（通称はナンシー）が他界した。九四歳だった。

火葬場のチャペルに親族が集まり着席したところに、義母が通っていた教会の女性牧師が入場、祭壇の横のマイクの後ろに立った。

「You are the salt of the earth.」――キリストのこの言葉で始まるマタイによる福音書第五章一三節が読み上げられた。こみ上げてくるものがあった。

「あなたは地の塩である」――この言葉こそ、義母が亡くなってから、私の頭のなかにずっと響いていた言葉なのだ。

私はかつて、エジンバラ大学内の語学学校で、英語の個人レッスンを何年ものあいだ受けていた。あるとき、人の資質や人柄といったようなことを表現する言葉についてディスカッションしていると、先生が、「"the salt of the earth"はどうですか？　この言葉に相応しい人があなたの近くにいますか？」と聞いた。

私は「地の塩」が聖書に出てくる言葉であることは知っていたが、その意味はよく知らなかった。先生の説明を聞いたあと、私は迷わず答えた。

「私の義母は、まさに地の塩です」

真に善き人、とでもいったらいいだろうか。良心の人であり、常に親切で、フェアな人であった。

もちろん、不正なことに対しては怒る。が、いつも明るく、機嫌の悪い顔を見せることがなかった。そして、最後までピンと背筋が伸びている感じで、椅子に座って編み物をしているときでも、その姿が誠に端正なのだった。加えて、何事にもてきぱきと対応していた。

八〇代半ばまでは、よく休暇の旅行にも一緒に行った。しかし年寄りを連れているという感じはまるでなく、むしろ一番、活動的だった。お洒落（しゃれ）な人で、いつもきちんと紅（べに）を引き、出掛けるときは素敵な帽子をかぶった。若い頃の写真を見ると、いたずらっぽい大きな目を輝かせた、素晴らしい美人だ。

夏の休暇中には、借りていた別荘で、義母とよく一緒に夕食の支度をした。その手際の良さにはいつも目を見張った。

義母の振る舞いは日本でも手本に

あるとき義母が、ほぼできあがった料理を見て、「ちょっと、あっさりし過ぎかしら」というので、私が「ホワイトソースでも添えますか」というと、「それはいいアイデアね」と答えるや否（いな）や、目にも留まらぬ速さで、一瞬にしてホワイトソースを作り上げたのには舌を巻いた。

とにかく、何をするのも、早い早い。電話が鳴ると瞬時に飛び上がって受話器を取りにダッシュするので、「お母さん、転んだら大変、電話はそんなに急いで出なくてもいいんじゃないですか?」と、何度いっても変わらない。何事も最短時間で、しかも完璧にこなす性分だ。そうかといってピリピリしたところは微塵(みじん)もなく、いたっておおらかな人なのだ。

そして、決してしまり屋ではないが、贅沢(ぜいたく)を戒(いまし)めた。これもある夏の休暇中のこと。スコットランドのエルギンという町に本社を置く、あるカシミヤ製品のメーカーのショップを家族で訪れたことがあった。

カシミヤのセーターやジャケットの他、いろいろなスコットランドらしい小物を売っており、観光客に人気の場所だ。当時まだ小学校低学年だった娘が、フードの付いた淡いオレンジ色のセーターを見つけて私にねだった。見ると、なんともいえない可愛らしさで、着心地も良さそうだ。

だが、一〇〇パーセントのカシミヤで、結構なお値段である。大人のちょっと高級な部類のセーターと同じくらいだ。でも、本当に素敵で、えもいわれぬ手触りである。うーん、と考え込んでしまった。

するど義母が、「どうしたの」と近づいて来た。「このセーターが欲しいって、この子がいうんですけど、どうしようかと思って……高いけど、あんまり素敵なので、奮発してもいいかなと思ったり……」などとぐずぐずいっていると、義母は素材と値段を素早くチェックした。そして、「だめよ、子供にこんな贅沢なものを買い与えるなんて、とんでもないわ」と、いつになく厳しい表情でいった。

義母にこんなふうにきっぱりと「だめ」といわれたのは恐らくこのときだけだったのだが、私が感動したのは義母のこのあとのフォローの仕方だ。

そのカシミヤ・ショップを出てからエルギンの街を歩いていたとき、毛糸屋さんを見つけると、「ちょっと寄りましょう」という。店に入ると、店員さんに「子供のセーターのパターンのカタログを見せてくださる？」と告げる。そして、出してもらうや否や、さささっとページをめくり、さっき娘が欲しがったものとそっくりなフード付きのセーターを見つけると、そのパターンを一枚購入した。そして、娘に好きな毛糸を選ばせ（さっき見たのと同じような淡いオレンジ色を選んだ）、幼稚園児だった息子にも水色の毛糸を買い、その晩から早速、製作に取りかかった。

ほどなく子供たちは、お揃いのフード付きの可愛らしいセーターを着せてもらった。少し大きめに作られたセーターは、その後数年にわたって、子供たちのお気に入りアイテムとなった。

義母は、日本でもお手本とされるようなタイプの人物である。そして、特にこのセーターのエピソードを経験したあと、私はスコットランドの地がより一層、愛おしく感じられるようになった。第二の故郷として。

義母は、専業主婦として夫と子供たちを支え幸福な家庭を築くという生き方を選び、それに大成功した素晴らしい人生を送った。

千の風になった義母の遺灰

チャペルを出ると、大勢集まった親戚の人たちの顔が一斉に目に入った。チャペル内では義姉一家と私たち一家が最前列であったので、他の参列者の姿が見えなかったのだ。比較的よく会っている夫の従兄弟たちやその家族もいれば、たまにしか会わない遠方に住んでいる親戚の人たちも来ていた。

その人たちをグループとして見た瞬間に、いつもその中心にくっきりと存在していた義

義母の遺灰を撒いたスピタルの海

母の姿がぽっかり抜け落ちていることに、私は打ちのめされた。号泣してしまった。

こうして義母が旅立ってから一〇ヵ月ほど経った二〇一八年の夏、親戚一同がグロブナー・ハウスに集まった。義母が生まれ育ったのはスコットランドとイングランドの国境にあるスピタル（Spittal）という小さな町である。グロブナー・ハウスは義母の祖父母が遺したもので、義母とその五人の弟と二人の妹、計八人が子供時代を過ごした家。いまも二番目の弟ラルフ夫妻が住んでいる。叔父夫妻が丹精を込めて咲かせた花が所せましと咲き乱れている夢のように美しい庭で、二〜三年に一度、夏にこうして親族が集まり、ガーデン・パーティを行ってきた。

南アフリカに住んでいる夫の従兄弟たちが家族を連れて来たこともあり、「初めまして」などと挨拶(あいさつ)をしている。みなが実家として帰ってこられる場所として、大き過ぎるこの家を、老いた叔父夫妻が守ってくれているのだ。さしずめ日本なら、盆と正月に一族が集まる場所、といった感じだろう。

このときの集まりには特別な目的があった。義母の遺灰を、この近くの丘の上から、海に向かって撒(ま)くことだ。

二〇〇二年に義父が亡くなったときもそうした。義母が夫のお墓を建てるのではなく、海への散骨を選んだことについて、当時はちょっと意外な気がしたのだが。

本当はもっと早くするべきだったのだが、このタイミングになったのは、我が家の息子が日本留学から帰ってくるのを待っていてくれたからだ。

遺灰を撒く場所は、海から見ると垂直に切り立った崖(がけ)の上である。ただ、登っていくときは、ハイキングのような感じで、簡単に行ける場所だ。

頂上に着くと、そこには絶景が広がっている。青い、本当に青い海が、壮大な広がりを見せている。

この景色を、私はときどきロンドンへの行き帰りに、鉄道の車窓から見ることがある。晴れた日の午後、夕暮れの光のなか、あるいは陰鬱（いんうつ）な雨のなかであっても、この眺めにはいつも、息を呑む。そんな光景だ。

晴れた夏の空の下、二人の子供たちと四人の孫たちによって、義母の遺灰は海に向かって撒かれた。すると、風に舞って空に消えていった。

私は少しだけ泣いた。気づいた義姉が私の肩を抱いてくれる。夫は、「ひゅー、助かった。また盛大に泣かれるかと、ひやひやしたよ」と、軽口を叩く。

日本でも『千の風になって』という歌として有名になった詩の一節が、私の頭に浮かんだ。

I am a thousand winds that blow……
When you awaken in the morning's hush
I am the swift uplifting rush
Of quiet birds in the circling flight.

第五章　エジンバラで確信した日本の成長性

経営者に聞くと日本は絶好調！

私が初めて英国に来た一九八〇年代の終わり頃、日本経済の存在感は非常に大きかった。が、ちょっと嫌われている感じもあった。あまりの絶好調ぶりに、反発を買っているといってもよかった。

いま日本経済の存在感が当時と比べて小さくなってしまっていることは事実だが、その反面、「日本に関心がある」「京都に行ってみたい」、あるいは「行ってきたら、本当に素晴らしかった」「家族を連れて、また日本を旅行したい」という話を、英国人やフランス人の同僚から頻繁（ひんぱん）に聞くようになった。国としての好感度がはっきり上昇している。そんな国は他にはそうそうないのではないか。

最近も、東京から戻ってきて、エジンバラ空港からタクシーに乗ったら、運転手さんがどこから来たのかと聞くので、長年エジンバラに住んでいるが、東京出身であり、いま日本から戻ってきたところだと答えると、運転手さんは俄然、饒舌（じょうぜつ）になった。

「息子夫婦が、二年ほど前に、アジアを旅行したんですよ。東南アジア諸国、中国、韓国、日本と旅したんだけど、もう、二人とも日本に夢中なんです。帰ってきてから、もう日本の話ばかり。人々は礼儀正しくて親切だし、公共交通機関は正確、清潔。しかも食事は超が付くほど美味しい。そして超近代的な街かと思えば、同時に古いものが大事にされていて、しかも素晴らしい自然が残っている。

そんなこともあり、二人して日本に、今度は一年ほどの予定で行くことにしているそうです。英語を教えながら日本語の勉強をするそうですよ。僕たち夫婦も、そのあいだに遊びに行くつもりなので、もういまから楽しみですよ……」

こう、興奮ぎみに話してくれた。

バブル経済崩壊以降、日本経済の低迷の時代は長く続き、失われた二〇年などといわれ、人口減少、少子高齢化、競争力の低下など、ネガティブなコメントには事欠かない。が、日々、日本企業の経営者にお目にかかる私は確実に知っている。多くの日本企業は、いま絶好調なのだ。

もちろん、すべての会社がうまくいっているわけではない。また、うまくいっているところにも当然、問題点はある。

以前、付き合いのあった証券会社にいたセールスパーソンの話だ。買いを勧めるときには、その企業について、すべてが完璧にうまくいっているかのように褒めまくる。売りのときはその逆で、一つもいいところがないという。しかし、こういうことは、この世の中では、まずありえない。

バブル経済崩壊後、ずっと日本企業を見てきた私には分かる。とてつもない成長性を秘めた企業が、いまの日本には、星の数ほども存在しているのだ。

進化した日本企業のメンタリティ

実は、私のように一貫して長期間、日本企業を担当してきたファンドマネージャーは非常に少ない。私の先輩格に当たる日本株担当のファンドマネージャーは、その多くが、どこかの時点でリストラされてしまった。

バブルが崩壊した直後は、まさかその後二〇年以上にわたって日本株市場が低迷するとは思われていなかったので、外国株投資チームとして、北米株チームと日本株チームは、数人のファンドマネージャーで構成されるのがエジンバラでも普通だった。が、その後、日本株チームの人数を減らしたり、チーム自体がアジア株チームに吸収されたりした。日本株専門の担当者は、どんどん数が減っていってしまったのだ。

結果、日本企業を長期間、観察し、その変化を肌で感じている人は、あまりいない。

いろいろなことが変化してきたが、特に日本企業のメンタリティが、この数年で激変したと思う。日本企業とのミーティングでは、いま必ず出てくる言葉がある。「差別化」だ。以前は「競争力」という言葉が頻繁に使われたが、現在は「差別化」がキーワードなのだ。

他社より何が優れているという以前に、自社の技術は何が違うのか、何を目指す企業なのかを、経営者が真剣に考えている。

また、ごく最近になって突然、ミーティング中に頻繁に聞くようになった言葉がある。それは「適材適所」、そして「人財戦略」だ。

これについては既に、第一章の新興の高成長企業のくだりで書いたが、最近になって多くの大企業も、これらに真剣に取り組むと宣言し始めた。一つ一つのポストに関し、どういうスキルや知識が必要なのかを徹底して考える。それに基づいて採用や人事異動、あるいはトレーニングを行う。そう宣言し始めている。

一見当たり前のことなのだが、大きな変化なのではないか。これによって日本企業は、さらに大きな価値を生むことができるようになる。企業の組織のあり方や働き方、さらには大学教育のあり方にまで影響が及んでいくのではないか。

二〇〇五年から日本は有望に

ここまで書いてきたように、エジンバラにいると日本のことがクリアに見える。そんな私はいま、日本株は「買い」だと思っている。だから、仕事が楽しくてしかたがない。

日本株担当なのだから、「日本に強気」というしかないだろうと思う人もいるようだが、そんなことはない。日本株はもうだめだとまでは思ったことはないが、日本株投資が本当に有望なのではないかと思い始めたのは、二〇〇五年くらいからか。しかし現在、これは確信に変わっている。

ここ数年、私の運用する日本株ファンドは、社内で運用成績のトップクラスに入り続けている。そのため、社内の営業マン自身も、私のファンドにポケット・マネーで投資したりしている。また、その営業マンは、投資家とのミーティングや電話会議などを頻繁に設定してくれる。

しかし、客たる英国人投資家と話をしてみると、いまでも「日本はもう終わった国だ」という感想を持っている。そうした人が少なからずいる。むしろ日本人のなかに、そんなタイプの人が多いとも聞く。

ここが大事なのだが、株式投資とは、国家経済に投資することではない。ＧＤＰや個人消費などマクロの数字を見て、日本株に投資するかどうか考える人がいるとしたら（実際たくさんいるのだが）、どう考えても変だ。

想像してみて欲しい。あなたが仮に、将来大きく成長して素晴らしい果実を実らせる樹木を探しているとする。その場合、木を一本一本見て歩くのではないだろうか。森全体の航空写真を見て決めるだろうか。

このとき、当然のことだが、個々の木の成長と森自体の成長とは別問題だ。さらに悪いことに、航空写真を拡大して詳細を見ようとすると、目立つのは大きな木ばかり。もう成長しないどころか、朽ち始めた木が目に入るかもしれない。すると、こんな感想を抱くのか――「やっぱりだめだね。この森には元気な伸び盛りの木はなさそうだね」。

日本株を避けてきた営業部の理屈

二〇一三年頃だったろうか。月一回ロンドンで行われている営業会議に出席したときのことだ。前述のように、最近の私は営業チームから引っ張りだこなのだが、この頃はまだ、日本株担当の私には滅多にお呼びがかからなかった。そこで忘れられてはならじと、私のほうから営業会議への出席を申し込んだ。

日本株の話など聞きたいと誰も思っていないのに割り込んできたかたちなので、私が口を開く前に、一人の営業マンがこんなことをいった。

「日本って、これから人口がどんどん減るんでしょ。日本はもう成長しようがないよ。国の借金も最悪だっていうし、日本株に投資したいなんていう人はいないんじゃない？」

あまりに型どおりの誤解をそのまま口にしてくれたので、吹き出しそうになるのをこらえた。繰り返すが、日本株投資とは個々の企業の株式に投資することであって、日本経済に投資するのではない。この辺のことは、自分で銘柄の選択をするために企業研究をしてみれば、すぐに分かることだ。しかし、彼のように分かっていない人が多い。

たとえば、あるとき英国人の投資家が、私に「日本の小売業は、もう伸びませんよね」という。私が「なぜ、そんな風に思われるのですか？」と聞くと、資産運用会社X社の投資セミナーに出席したら、同社の日本株担当ファンドマネージャーのT氏が、「人口減少に入った日本では小売業は成長のしようがないので、自分のファンドでは小売株に一つも投資していない」といったのだそうだ。

私は思わずクスッと笑ってしまった。T氏の長期に低迷している投資パフォーマンスを思い出したからだ。

そう、私は競争相手の成績をいつもチェックしている。性格が陰湿なのではない。いや、それもいくらかあるかもしれないが、長いあいだ様々なファンドをフォローしていると、どのファンドがどういう市場環境で他より優れた成績を挙げ、どんなときに苦戦するのかが分かってくる。それも市場の空気を体感する一つの方法なのだ。

なるほど、T氏はマクロとミクロを混同するタイプなのか。日本の小売業界全体の売上げは、もう伸びないかもしれない。しかし、そのことと日本の小売業界に成長企業が存在しないということは、まったく別の問題だ。全体として縮小しているとしても、そのなかには、ダメになっていっている企業と、大きく伸びている企業が混在している。

電話で話してすぐに「買いだ」

株式ファンドの運用の仕方において、「トップダウン」「ボトムアップ」という言葉が使われる。私の手法は徹底したボトムアップ。徹底的に企業の成長性を見つける、ということだ。

たとえば家具小売りのN社。いわゆる日本の失われた二〇年のあいだに成長に成長を続け、いまでも力強く業績を伸ばしている。マクロ経済を見て個人消費の動向をチェックし、小売業のなかの家具販売業にカテゴライズするといった風にトップダウンで見たら、投資したいとは思わないだろう。

しかしボトムアップでは、まずこの会社のビジネスモデルを理解するところから始める。そして、どんな風に成長していくだろうか、それを想像してみるのだ。

つまり、その会社独自の強みに注目してみる、ということ。家具の市場に成長性があるかどうかと、家具を売っている特定の企業が成長するかどうかは、まったく別の問題なのである。

私が子供の頃、商店街には小さな家具屋さんがあったものだ。整理ダンスやテーブルなど、いろいろなものが所せましと置かれており、もちろん品ぞろえは豊富ではないのだが、それなりに繁盛（はんじょう）していた。そんなお店が日本中いたるところにあった。

N社は、そうした店よりはずっと広いスペースで、安価な家具を売る。安価だが、コーディネートされたお洒落なインテリアを構成できる。これが若い消費者を中心に支持を集めている。

売っている家具は自社製なので、売れ筋をすぐに追加して作ることもできる。すると店舗の数も急増し、ますます価格競争力が高まっていく。いまやN社は、海外にも出店する大企業に成長した。

私は、二〇〇〇年代初頭、初めてこの会社のIR担当者と電話で話をした。そして「これは買いだ」と、すぐに確信した。話している途中から胸がどきどきしてきたことを鮮明に記憶している。

難解な理論を振りかざす人は無能

いま、この日本株市場という森に入って歩き回ってみると、ワクワクするような木がたくさん育っていることがすぐに分かる。ただ、それは、上空から撮った写真を高度な手法で分析しても見えてこない。

現在の勤め先に移ったばかりの頃、同僚が著名投資家ピーター・リンチ氏の『One Up On Wall Street』という本を貸してくれた。フィデリティ・マゼラン・ファンドの伝説的なファンドマネージャーが書いたこの本には驚いた。難しい投資手法に関する考察かと思いきや、まったく単純明快に、私がいつも思っていたことが、軽快な筆致で述べられていた。

「有望な投資先を見分けるとき、投資のプロにしか分からない特殊なノウハウがあるのではない。普通の生活者としての常識が何より役に立つ」と書かれていた。私の考え方と基本的に同じだ。

また、私がまだ東京に住んでいた頃、あるセミナーで広告関連業界の著名な方が語った言葉が印象に残っている。

「私は、本当のプロフェッショナルとは、何年も何十年も仕事をしていても、素人(しろうと)の目を持ち続けていられる人のことだと思います」

長いあいだ仕事を続け、いろいろなタイプの同業者、顧客、投資対象である企業の経営者の方々に数多く接してきたが、この言葉には真実がこもっているとつくづく感じる。

プロとして長年のあいだ勝ち残り、価値を生み出し続けている人は、おしなべて話が分かりやすい。ピーター・リンチ氏が好例だ。業界用語を駆使したり、難解な理論を「まあ、素人にいっても分からないでしょうが」などと話すタイプの人は、まず間違いなく成績が悪い。

理論ではなく常識で勝つ

　私にとって、この業界での初めての仕事は、スコティッシュ・プロヴィデント（Scottish Provident）という、当時はエジンバラのセント・アンドリュー・スクエアに本社があった中堅生命保険会社の運用部門だった。生命保険会社の運用部門といえば普通、いわゆるエリート揃いの職場である。そこにファイナンスやビジネスの知識も経験もない私が、いきなり迷い込んだようなものだ。

　出社初日の朝、部門のヘッドだったミスター・ローズの部屋に挨拶に行ったときに、私は正直な不安を口にした。「私がやっていけるのでしょうか」……そもそも人見知りの私が、よく知らない人に自分の気持ちを打ち明けるなど滅多にない。ミスター・ローズの全身からにじみ出る聡明さや優しさに触れて、つい口走っていたのだ。

　このときの彼の答えも、私は折に触れ思い出す。

「どんな仕事でも同じだと思いますが、この仕事でも一番大切なことは、common sense（常識）とdiligence（勤勉）です。あなたにはそれがあると思ったから採用したのですよ。大丈夫、あなたなら良い仕事をすると信じています」

　余談だが、この三年後、私はこの最初の勤め先が同業他社を吸収合併することになったタイミングでリストラされた。ほどなく同業に採用が決まったが、ミスター・ローズがこの会社に、私の推薦状を送ってくれたのだそうだ。ずっとあとになって人づてに聞いて、感謝の気持ちでいっぱいになった。

そう、コモンセンス、常識だ。普通に考えることだ。これまでいろいろな日本企業の株式に投資をしてきたが、数多くの銘柄が、一〇倍以上になっている。数十倍になったものもある。実は、一〇〇倍以上になったものだってある。

これらに投資したときも、何か特別なノウハウがあったわけではない。経営者とお会いして、何を目指す会社なのかを伺い、どういう成長戦略を持っているのか聞く。そうして常識を働かせるのだ。

そして、その業界をもっと知る必要があるなら、証券会社に所属するアナリストの話を聞く。海外に類似の企業がある場合、それらをカバーしている同僚に意見を求めることもある。そのうえで、この会社は伸びる、とてつもなく伸びると、確信する瞬間が訪れる。

派手なＩＴ起業家たちの末路

私は現役のファンドマネージャーなので、ここで具体的なお奨め銘柄の話というのはできない。が、私がどういう企業に投資したいと思うのか、少しお話ししたい。

一番大事なことは、企業は人の集まりだという事実を忘れないこと。特に小さめの会社の場合、トップがどういう人なのか、これは決定的に大事なことだ。

私がこれまでに投資をしてきて、非常に優れたリターンを生んだ企業の経営トップは、おしなべて人柄としては控え目で、実直な感じの方々だった。

一方、二〇〇〇年にITバブルが崩壊するまでのあいだには、非常に派手で目立ちたがり屋の若い起業家たちに出会った。高価なスーツと高級腕時計をこれ見よがしに身に着けており、オフィスの住所は六本木がお約束だ。会議の冒頭、「僕は子供の頃からビッグになることだけを考えて生きてきました」と、高らかに宣言した人さえいた。しかし、いまはどこでどうしているのだろう……。

また初対面で、なんとなく「胡散臭(うさんくさ)いな、この人」と思う人もいる。大概(たいがい)こういう第一印象は当たっていて、いずれ問題を起こす人だった。では、私が何に胡散臭さを感じるのか？ 根拠のない、あるいは不自然なほどの自信である。

長いあいだ多種多様な人々を見てきて、いま確信を持っていえるのは、優秀な人は性格的に謙虚な人であることが多い、ということだ。実際、これは理に適(かな)っている。というのも、謙虚な人は常に学ぼうとする人であるからだ。自分の失敗から学び、他人の失敗からも成功からも学ぶ人だ。だから、加速度的に優秀になっていく。

機関投資家と違い、個人の投資家は、経営者に直接会う機会は滅多(めった)にないと思うが、個人投資家向けの説明会などを開催する企業も多いので、参加することを勧めたい。株式に投資することは、その企業に参加するということ。経営トップを見て、なんとなく嫌いなタイプだなと感じたら、絶対に投資しないことだ。

利益だけを考える経営者の運命

私は自分の生活者としての感覚を大事にするので、もし小売業の会社に投資するのなら、必ずお店に行ってみる。食品メーカーなら、その会社が作っているものを食べてみるし、化粧品メーカーなら、実際にその会社の新製品を使ってみたりもする。

そして、フィットネス関連のサービスを提供する企業に投資する前には、実際にプログラムに参加してみた。二〇一八年には、ロボットを開発している企業で作業支援ロボットを装着、二〇キロの水のタンクが軽々と持ち上がる感覚も体験してきた。

機械や自動車のメーカーの場合、そうはいかない。が、最近は企業のウェブサイトが充実しており、動画を使って技術の説明をしたりと、なかなか楽しいし勉強になる。興味のある企業があったら、ぜひウェブサイトをチェックしてみて欲しい。どんな「空気」や「哲学」を纏（まと）っている会社なのか、それを体感することが大事だと思う。

もう一つ、いろいろな企業を見てきて気が付いたことがある。逆説的なのだが、「経営者がいつも利益のことばかり考えている企業は、だんだん利益が出せなくなってくる」という事実だ。また、これに関連していることなのだが、経営者が従業員をコストとしか見ていない企業は、絶対に長期的に繁栄しない。

ある化学会社の社長が、以下のような話をしてくれたことがあった。リーマンショックの直後、多くの企業が人員削減を中心に、コスト削減に血道（ちみち）を上げていたときのことだ。この社長は、社員のトレーニングに注力したのだ。

「仕事がうまくいっていて忙しいときは、なかなかトレーニングに時間が割（さ）けないんですよ。で、受注に急ブレーキがかかったとき、僕はいまがチャンスだと思った。それまで必要を感じていながら、延ばし延ばしにしていた社員教育に、時間とお金をたっぷり掛けました」

私はこの会社は伸びると確信した。苦しいときはコストカットで乗り切ろうとするのが普通だが、この経営者は、その先を見る人なのだ。

一時的には、むしろコストは上がってしまう。だから、数字だけを見ている人には、コスト削減が機動的にできない劣等企業に見えるかもしれない。しかし私は、断然こちらのほうに、投資先としての魅力を感じる。

機動的に、ばっさりと人間を切ってしまえる経営者のもとで、従業員が高いモチベーションを持って能力を発揮できるとは思えない。絶対に無理だ。繰り返すが、企業は人の集まりだ。人が生き生きと能力を発揮していない企業には、明日はない。

経営のプロか企業への愛着か

欧米の企業では、「経営のプロ」がトップに就く。が、日本の企業では、経営の素人でも社長になれる。だからダメなのだ――そんな風にいわれるが、私は納得がいかない。

その会社になんの思い入れも愛着もない人がトップとして君臨し、「手腕」を発揮してV字回復を実現、また次の段階に移っていく。すると、とても正気の沙汰とは思えない巨額の報酬を手にする。一体、何をどう計算すると正当化できるのか、私には皆目、見当もつかない。多くの従業員の生活を犠牲にして絞り出した利益を、自分のポケットに入れているようにしか、私には見えない。

欧米の企業とのアライアンス（提携）を成功させ、倒産寸前だった会社を復活させたとする某自動車企業のCEOなど、その最たる例であろう。

経営のプロだか何だか知らないが、私にいわせれば、この人たちは海賊みたいなものだ。というのも、会社になんの愛着もなければ、業績を回復させることなど簡単だからだ。人を減らし、将来への投資を抑える——これだけで業績はV字回復だ。

一方、たとえば技術者として長年勤務し、会社に深い思い入れがある日本企業の経営者には、こんな芸当などとてもできない。家族の顔まで知っている系列企業の社長に、「明日から取引をストップする」などとはいえない。しかし、果たしてこれは弱みなのだろうか……。

もちろん、何かを短期間で変える必要があるとき、しがらみのなさは強みになるかもしれない。しかし私は、事業自体に愛着のない人が経営トップに君臨している企業には、絶対に投資したくない。なぜなら長期的な成長性を感じないからだ。

私は長期投資家である。長いあいだ価値を生み出し、成長していく企業に投資する、これを心掛けている。すると、経営者の考え方と振る舞いが、決定的に重要な判断要因となるのだ。

日本には、会社を深く愛する経営者が多い。間違いなく世界一といえるだろう。日本株担当として、これは幸運なことだ。

企業統治に関しては欧米が進んでおり、日本は遅れている、というような論調の話を聞くたびに、私は絶対に違う、と思う。もちろん学ぶべき点はあるだろうが、逆に欧米企業が日本企業から学ぶべきことは、それ以上に多いと思う。

日本だけが持つＩｏＴの主要技術

しかも、いま多くの日本企業が、環境技術、バイオテクノロジー、ロボットテクノロジー、新素材、デバイスなど、様々な分野で大きく成長しようとしている。これらは、普通の消費者の目にはなかなか留まらないものである。

たとえばドイツが国家を挙げて取り組む「インダストリー４・０」では、いわゆるＩｏＴの技術が覇権への絶対条件となる。そのＩｏＴの四つの主要技術、すなわち「半導体」「電子部品」「モーター」「電子素材」のすべてを作れるのは、日本だけなのである。

また、日本ではその言葉を聞かない日がないというくらいに話題になる「少子高齢化」。これはネガティブなことだと思われているようだが、投資の観点からは、実はそうとも限らない。

たとえばロボット技術。これを有効に活用する必要性が高まり、技術も進歩する。また少子高齢化は、これからすべての先進諸国で起こってくることだ。課題の先進国たる日本では、先に蓄積したノウハウを武器に、介護ビジネスなど、将来的な海外展開も視野に入ってくる。

このように、私の専門を生かした分析を少し披露しただけでも、日本の未来は明るいと理解していただけるだろう。

あとがき――日本軍の捕虜になった伯父さんの言葉

「セレンディピティ（serendipity）」という言葉をご存じだろうか。この言葉が私は好きだ。セレンディピティという音自体も、なんとなく好きだ。

この言葉を初めて知ったのがいつだったか考えてみたら、すぐに思い出した。阿刀田高氏の短編集のなかにある「スリランカ気質」という話に出てきたのだ。

この言葉は、セレンディップ（現在のスリランカ）の三人の王子が船で旅をする話に由来する。旅の途中、王子たちは、探していたわけでもない大事なものをいろいろと発見する。そこから「幸運な発見」「出会い」という意味で使われるようになった。しかし私は、もっと深い意味があるような気がする。

意識的に「これ」と探しているわけではないが、心の奥深く、いわば無意識のレベルで希求しているものがある。それが、どんな形をとり、いつ現れるかは分からない。でも、

王立天文台（中央の建物）とヒッグスセンター（右）のある丘で愛犬と

それに出会ったとき、「これこそ私が探していたものなのだ」と気付く――。

　二〇代後半で生まれ育った日本から漕ぎ出してから、私はセレンディップの王子さながら、いろいろな幸運に巡り会った。いうまでもないが、幸運ばかりではない。しかし、とにかくいろいろな人に出会い、多くの経験を積んできた。そして、これはきっと私が心の奥底で求めていたことの現れなのだ――この本を書きながら、つくづくとそう思った。

　ずっと忘れていたこんなことも思い出した。初めて英国に来てすぐ、母から送られてきた最初の手紙（その頃から電話で週に一度は話していたのに、当時、母はときどき手紙もくれた）に、「お父さんと私は、かぐや姫が月へ帰ってしまったあとの老夫婦の心境です」と書いてあって、私はちょっと泣きそうになった。

　しかし、その後、このかぐや姫は日本株担当のファンドマネージャーになったので、頻繁に月から帰ってくることになった。最近は年に三回か四回は帰ってきて、毎回、最短でも三週間は滞在する。東京に住んでいて毎週のように母の顔を見にくる兄夫婦よりも、実は私のほうが母と過ごす時間が圧倒的に長い。外国に住んでいるのに、こうして母と多くの時間を過ごすことができる私は、本当に幸運だと思う。

　また、私は自分が日本人であることを日々意識して長い年月を生きてきたのだということを思った。外国に住んでいると否応なく、自分が日本人であることを意識する機会が多い。初対面の人にとっては私という人間に対する大きな興味は、「日本人である」ということだと思う。

　そのことを象徴するような経験をしたこともあった。結婚してしばらくした頃、どきっとしたことがある。私たちの結婚は夫の身内から一様に好意的に受け入れられたと思っていたのだが、実は、「えっ、ラルフ（夫）が日本人と結婚するの？　ウォルター伯父さんにはなんというの？」という声が一部にあったのだそうだ。

雪化粧した冬のエジンバラ城

ウォルター伯父さんというのは、義母の伯父に当たる人物。伯父とはいっても、義母とほぼ同じ世代の人だ。この人は、第二次世界大戦の末期に日本軍の捕虜となり、壮絶な苦難を経験したのだった。そのため、ウォルター伯父さんのいるところで「日本」「日本人」という言葉はタブーだったそうだ。

でも、まあ、お目にかかる機会もないだろうと思っていたら、あるとき会うことになってしまった。夫の両親の金婚式のパーティーでのことだ。私たちが結婚して四年ほど経っていた。

会場のあるホテルのロビーには、親戚の人たちが集まっていた。賑（にぎ）やかになり始めた頃、たまたま一人になった私を目指して、一人の老紳士が結構な早足で近づいてくる。私のなかに一瞬、緊張が走る。が、次の瞬間、ウォルター伯父さんは、私の右手を両方の手で強く握りしめると、じっと私の目を見つめた。

「あなたが、ラルフの奥さんですね。あなたのことは、いろいろ聞いていますよ。今日はお目にかかれて本当に良かった」

そういい終わると、頷きながら綺麗な笑顔を見せた。このときの様子を、実は親戚の人たちは、周りでしっかり観察していたそうだ。「ウォルターの戦後も、やっと終わったね」と、あとで親戚の一人がつぶやいた。

こんな風にウォルター伯父さんに認められたのも、本書の隠れた主題、日本とスコットランドの共通性や親和性に原因があったのかもしれない。

最後に、思ってもみなかった貴重な機会を与えてくださった、講談社の間渕隆さんにお礼を申し上げます。実際に書き進めるに当たっても、いろいろなアイデアやアドバイスをいただきました。最後まで辛抱強くお付き合いくださり、本当にありがとうございました。

また、私の夫であり、親友、またメンターでもあるラルフ・モファット・ハーディに、心からの感謝の気持ちを捧げます。初めて出会った日から今日まで少しも変わらずに、何があっても私の味方でいてくれました。あなたが励ましてくれたから、私はこれまで充実した人生を送ってし、また、初めての本を書き終えることができました。

二〇一九年四月

ハーディ智砂子（ちさこ）

ハーディ智砂子

東京都に生まれる。慶應義塾大学文学部社会心理教育学科卒業。1990年から英国スコットランド・エジンバラ在住。現地の生命保険会社や資産運用会社などで投資業務を歴任。2006年よりフランスの大手保険グループAXA（アクサ）の資産運用会社AXA Investment Managers勤務。日本株アクティブ投資の責任者を務める。スコットランド人の夫とのあいだに一女一男。

講談社+α新書 808-1 C

古き佳きエジンバラから新しい日本が見える

ハーディ智砂子 ©Chisako Hardie 2019

2019年4月11日第1刷発行

発行者―――渡瀬昌彦

発行所―――株式会社 講談社

東京都文京区音羽2-12-21 〒112-8001

電話 編集(03)5395-3522

販売(03)5395-4415

業務(03)5395-3615

カバー写真―――Getty Images

デザイン―――鈴木成一デザイン室

カバー印刷―――共同印刷株式会社

印刷―――株式会社新藤慶昌堂

製本―――牧製本印刷株式会社

定価はカバーに表示してあります。

落丁本・乱丁本は購入書店名を明記のうえ、小社業務あてにお送りください。

送料は小社負担にてお取り替えします。

なお、この本の内容についてのお問い合わせは第一事業局企画部「+α新書」あてにお願いいたします。

Printed in Japan

ISBN978-4-06-511674-6